↑素材《そざい》、形《かたち》、装着方法《そうちゃくほうほう》……。さまざまな人工尾《じんこうお》びれが作《つく》られた。中央《ちゅうおう》が、ゴムの上《うえ》から「カーボンファイバー」をかぶせる「カウリング型《がた》」。

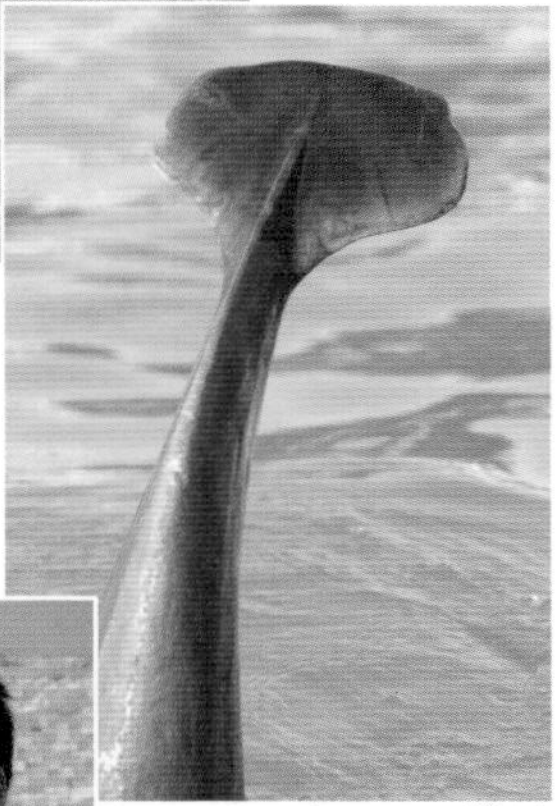

↑フジの尾《お》びれ。原因《げんいん》不明《ふめい》の病気《びょうき》で尾《お》びれの4分《ぶん》の3を失《うしな》った。

植田啓一《うえだけいいち》（獣医《じゅうい》）

古網雅也《こあみまさや》（飼育係《しいくがかり》）

加藤信吾《かとうしんご》（ブリヂストン）

斉藤真二《さいとうしんじ》（ブリヂストン）

薬師寺一彦《やくしじかずひこ》（造形作家《ぞうけいさっか》）

浅瀬《あさせ》プールに入《はい》ったフジ。

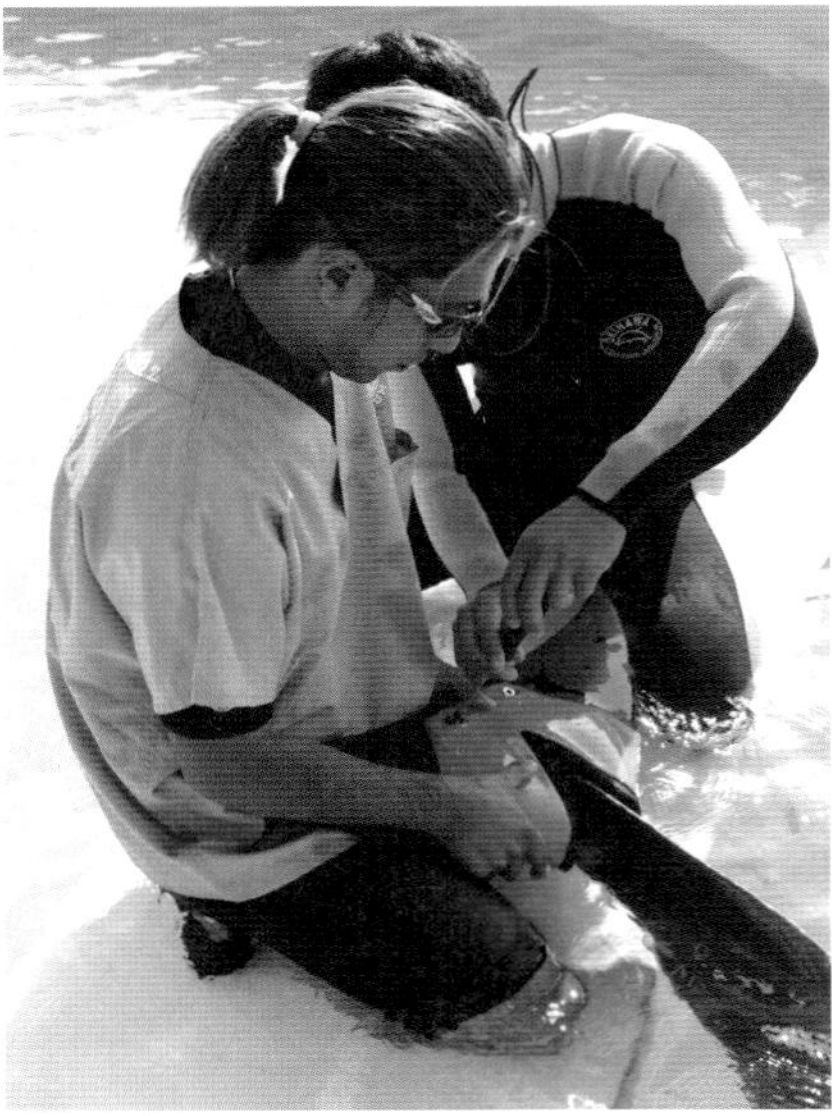

人工尾《じんこうお》びれを装着《そうちゃく》する植田《うえだ》、古網《こあみ》。プールのなかではずれないよう、ねじでしっかりとめる。

しっぽをなくしたイルカ

——沖縄美《おきなわちゅ》ら海水族館《うみすいぞくかん》フジの物語《ものがたり》——

岩貞るみこ／作　加藤文雄／写真

講談社 青い鳥文庫

もくじ

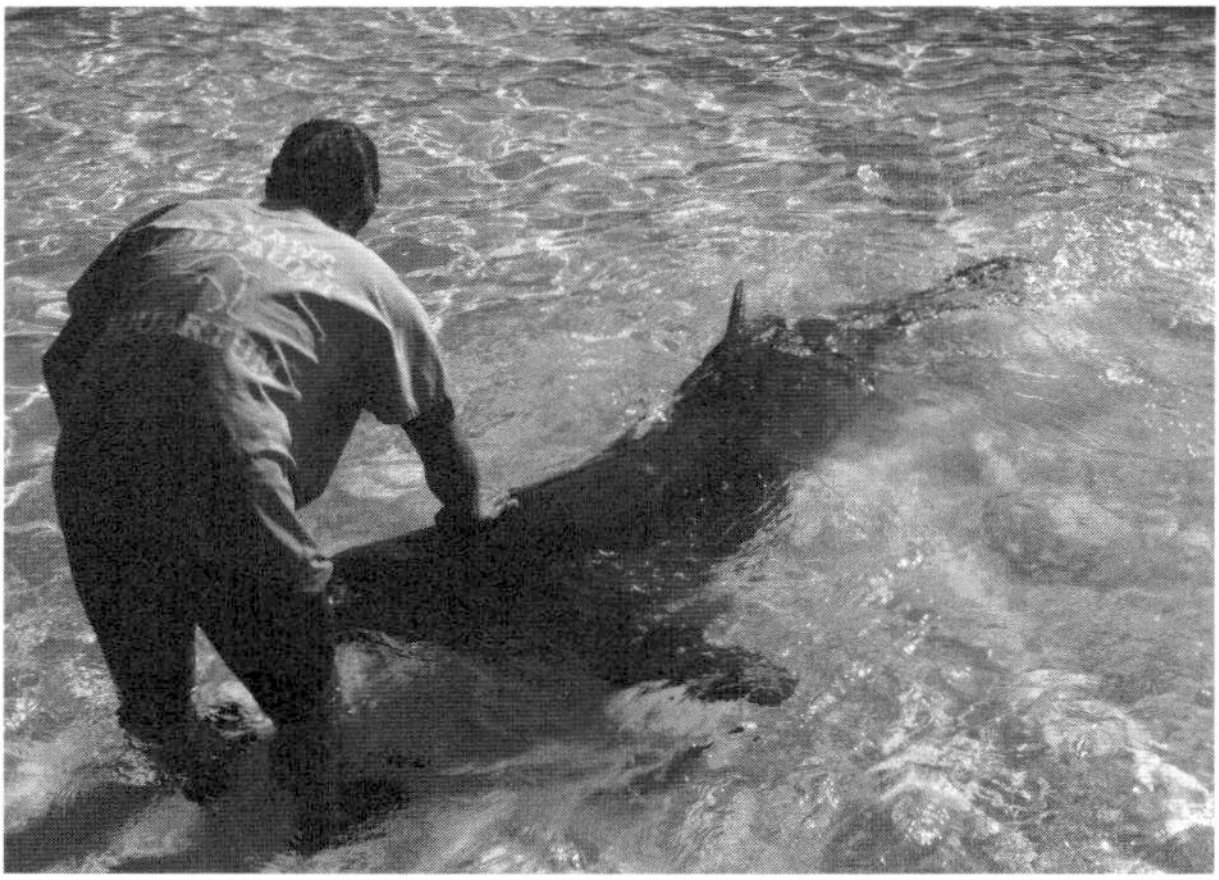

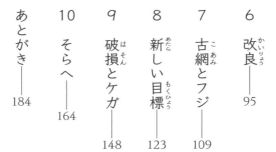

プロローグ

ぜったいに壊死《えし》をくい止《と》める。
ぼくは電気《でんき》メスを持《も》つ手《て》に力《ちから》をこめた。
電気《でんき》メスがフジの尾《お》びれにあたり、小《ちい》さく音《おと》をたてる。
きゅ～ん、きゅ～ん……、なにかを訴《うった》えるようなフジの声《こえ》が聞《き》こえてくる。
さいごの数《すう》センチを切《き》りはなすと、ぼくの左《ひだり》の手《て》のひらに重《おも》みがかかった。
切《き》り落《お》とされたフジの尾《お》びれだった。
「こんなに切《き》らなければダメだったんだ。」
そのとたん、自分《じぶん》がしたことの重大《じゅうだい》さがのしかかってきた。
ぼくはイルカの尾《お》びれを切《き》り落《お》とした。
でも、そのときのぼくは、フジの命《いのち》を助《たす》けることで頭《あたま》がいっぱいだったんだ。

1　獣《じゅう》医《い》師《し》・植《うえ》田《だ》

真夏《まなつ》の太陽《たいよう》。雲《くも》ひとつない青《あお》い空《そら》。どこまでも青《あお》い海《うみ》。

沖縄県《おきなわけん》、国頭郡本部町《くにがみぐんもとぶちょう》。

ぼくのいる沖縄美ら海水族館《おきなわちゅうみすいぞくかん》は、この海《うみ》のすぐそばにある。

海洋博公園《かいようはくこうえん》の広《ひろ》い敷地《しきち》のなかにたつ、水族館《すいぞくかん》。

なかには世界一《せかいいち》の大《おお》きさをほこる、アクリルパネルの水槽《すいそう》。体長《たいちょう》七メートルの巨大《きょだい》なジンベエザメやマンタなどが泳《およ》ぎ、沖縄《おきなわ》の海《うみ》が再現《さいげん》されている。

海《うみ》のそばには、イルカショーをする、オキちゃん劇場《げきじょう》プール。

ここでは、ジャンプするイルカが、まるでこの青《あお》い海《うみ》の上《うえ》を跳《と》んでいるかのように、見《み》ることができるんだ。

「おはよう！　今日《きょう》も、元気《げんき》にしているか？」

プールで泳《およ》ぐイルカたちに、声《こえ》をかける。

ミナミバンドウイルカが、顔《かお》を出《だ》してぼくを見《み》る。

「オキ！」

オキちゃん劇場《げきじょう》プールの名前《なまえ》にもなっているオキは、このプールができたときから、ここにいる。だからもう、三十年近《ねんちか》く、ショーで活躍《かつやく》する大《だい》ベテランだ。

ミナミバンドウイルカのほかに、バンドウイルカ、カマイルカ、オキゴンドウ、シワハイルカ。三か所《しょ》のプールに、二十頭《とう》のイルカたちがいっしょに生活《せいかつ》している。

ぼくがいるのは『海《うみ》』の『獣《けもの》』の『課《か》』と、書《か》いて、海獣課《かいじゅうか》。声《こえ》に出《だ》すと「カイジュウカ」になるから、聞《き》いた人《ひと》は『怪獣《かいじゅう》』だと思《おも》って、びっくりする。

ちがう、ちがう。ぼくたちは、なんとかレンジャーとは、ちがうから。海《うみ》にすむ動物《どうぶつ》、イルカやマナティーを担当《たんとう》しているところだ。

「あ、植田《うえだ》さん、おはようございます。」

イルカの飼育係《しいくがかり》が、ぼくを見《み》つける。

「おはよう。なにかある？」

「いえ、朝《あさ》の体温測定《たいおんそくてい》では、とくに問題《もんだい》ありません。餌《えさ》もよく食《た》べます。」

食《た》べる量《りょう》と体温《たいおん》は、イルカの体調《たいちょう》をみるうえで、大切《たいせつ》なポイントだ。とくに食事《しょくじ》。食《た》べないときは、必《かなら》ずなにか原因《げんいん》がある。熱《ねつ》があるか、胃《い》の調子《ちょうし》が悪《わる》いか、ストレスなのか。

でも、イルカたちは、ここのところ、みんな元気《げんき》で調子《ちょうし》がいい。だから獣医《じゅうい》であるぼくは、出番《でばん》がない。いいことだ。医者《いしゃ》なんて、ヒマなのがいちばん！

もっともぼくの髪型《かみがた》は、あまり獣医《じゅうい》っぽくないと言《い》われているけれど。

あざやかな金色《きんいろ》に染《そ》めあげた、女《おんな》のコのように長《なが》い髪《かみ》。

それをポニーテイルのように、うしろで一本《ぽん》にまとめてある。えりあしだけ短《みじか》く刈《か》りあげてあるのも、こだわりのポイントだ。

すごくいそがしくて床屋《とこや》にいけなかったときがある。のびた髪《かみ》が、イルカを治療《ちりょう》するときに目《め》にかかるのがイヤで、むすんでみたのがこの髪型《かみがた》のはじまり。

金髪《きんぱつ》なのは、どうしてかって？

海外《かいがい》の水族館《すいぞくかん》の研修《けんしゅう》にいったときに、アジアから集《あつ》まった獣医師《じゅういし》はみんな黒《くろ》い髪《かみ》。全員《ぜんいん》が同《おな》じ髪型《かみがた》をしているのが、逆《ぎゃく》に不自然《ふしぜん》に思《おも》えたから。

なにごとも、自己主張《じこしゅちょう》は大切《たいせつ》なのだ。

「植田《うえだ》さん。今日《きょう》、イルカショーのメンバーにはいっているから、お願《ねが》いね。」

イルカショー。イルカたちの能力《のうりょく》を多《おお》くの人《ひと》に知《し》ってもらえる、沖縄美《おきなわちゅ》ら海水族館《うみすいぞくかん》、自慢《じまん》のパフォーマンスだ。

「はい、了解《りょうかい》。担当《たんとう》は？」

「ゴンです。今日《きょう》も絶好調《ぜっこうちょう》ですよ！」

笑《わら》いながらそう言《い》って、彼女《かのじょ》は朝《あさ》の餌《えさ》切《き》りにいってしまった。

オキちゃん劇場《げきじょう》のうしろにあるプールにまわる。

新人飼育係《しんじんしいくがかり》の古網《こあみ》が、困《こま》った顔《かお》をしてプールサイドに立《た》っていた。

「新人《しんじん》！　どうだ、仕事《しごと》には慣《な》れたか？」

「あ、植田《うえだ》さん。またフジが、言《い》うことをきかなくて……。」

古網《こあみ》の足《あし》もとで、バンドウイルカのフジが、魚《さかな》をよこせと口《くち》を開《あ》けていた。

バンドウイルカは、ミナミバンドウイルカより、ふっくらしたカラダをしている。

このふたつは、名前《なまえ》は似《に》ているけれど、別《べつ》の種類《しゅるい》だ。

「どうしたんだ？」

「体温測定《たいおんそくてい》の訓練《くんれん》です。でも、横《よこ》になるようサインを出《だ》しても、ぐるぐるまわったり、鳴《な》いてみ

たり……。フジはサインの意味《いみ》が、わからないんですかね？」

「ああ、それは。」

やられたな、古網《こあみ》。

「それは？」

「おまえ、フジにおちょくられているぞ。」

「ええっ？」

おまえ、おちょくっているのか？　という顔《かお》で古網《こあみ》がフジを見《み》る。フジは知《し》らーん顔《かお》をして、プールサイドからはなれて、すいすいと泳《およ》ぎはじめる。

「あ……無視《むし》。」

古網《こあみ》は、ため息《いき》をついて、肩《かた》を落《お》とす。

「まあまあ、そう落《お》ちこむな。」

「だって……。」

「フジは水族館《すいぞくかん》にきて三十年近《ねんちか》くたつんだ。おまえ、何歳《なんさい》だ？」

バンドウイルカのフジは、オキより二年《ねん》あとに、この沖縄美《おきなわちゅ》ら海水族館《うみすいぞくかん》にきた。

水族館《すいぞくかん》の内田《うちだ》館長《かんちょう》が、館長《かんちょう》のふるさとの伊豆《いず》の海《うみ》から連《つ》れてきたんだ。

「二十四歳《さい》です。フジのほうが、そうとう先輩《せんぱい》ってことですね。」

「だろ？　簡単《かんたん》に言《い》うことはきいてくれないぞ。」

「はあ。」

古網《こあみ》が、あきらめたように言《い》う。

「イルカはもっと、アタマがいいんだと思《おも》っていました。サインを出《だ》したらすぐに握手《あくしゅ》したり、ジャンプしたり。ショーのイルカって、みんなそうじゃないですか。」

「アタマはいいさ。」

「え？」

「アタマがいいから、サインの意味《いみ》がわかっているのに、わざわざ別《べつ》のことをしてみせるんだろ。」

「やっぱりフジは、わかっているんですか？」

「そう。わかっているのに、別《べつ》のことをする。てごわいぞ。」

ため息《いき》をつきながら、古網《こあみ》がフジを見《み》る。

ぼくはフジに、こちらにくるよう、サインを出《だ》す。

フジが『どうしようかな。』というふうに、迷《まよ》っている。

「それにフジは、がんこで意地《いじ》っぱり。大変《たいへん》なんだ、このきもっ玉母《たまかあ》さんに認《みと》めてもらうのは。」

「きもっ玉母《たまかあ》さん、ですか？」

「そう、きもっ玉母《たまかあ》さん。がんこすぎて、人《ひと》の言《い》うことをきかない。だから、ショーには、あまり出《で》ていない。そのかわり子育《こそだ》ての達人《たつじん》。リュウ、コニー、チャオと三頭《とう》も産《う》んで立派《りっぱ》に育《そだ》てた、強《つよ》き母《はは》。」

フジがこちらに泳《およ》いでくる。

「あの、植田《うえだ》さん。」

「うん？」

「植田《うえだ》さん、今日《きょう》もイルカショーに出《で》るんですか？」

「出《で》るよ。楽《たの》しいもん。」

「ショー、イヤじゃないんですか？」

「なんで？」

「……獣医《じゅうい》なのに。」

「獣医《じゅうい》は出《で》たら、いけないか？」

「いえ、そういうワケじゃ。ただその、獣医《じゅうい》なんだし。もっと研究《けんきゅう》とか、いろいろ専門的《せんもんてき》なことしたいんじゃ……。」

『イヤじゃないんですか？』か。そんなときも、あったっけ。

ぼくは、六年前《ねんまえ》の、水族館《すいぞくかん》にきたばかりのころを思《おも》い出《だ》していた。

大学《だいがく》を卒業《そつぎょう》し、新人獣医《しんじんじゅうい》としてこの沖縄美《おきなわちゅ》ら海水族館《うみすいぞくかん》にきた。学校《がっこう》で身《み》につけた最新《さいしん》の医学《いがく》知識《しき》を使《つか》って、バリバリ仕事《しごと》をしてやると、はりきっていた。

なのに、さいしょの仕事《しごと》は飼育係《しいくがかり》とぜんぶいっしょ。イルカの世話《せわ》をして、プール掃除《そうじ》をして、ショーに出《で》て。

ぼくは獣医《じゅうい》なのに、どうしてこんなこと！　なにを考《かんが》えているんだ、この水族館《すいぞくかん》は？

だけど、飼育係《しいくがかり》といっしょに働《はたら》いているうち、だんだん、わかってきた。

イルカのことを知《し》らなければ、イルカをちゃんとあつかえなければ、治療《ちりょう》もまともにできないってことを。

『イルカの飼育《しいく》もできないような、獣医《じゅうい》はいらない。』

これが、ぼくを育《そだ》ててくれた、沖縄美《おきなわちゅ》ら海水族館《うみすいぞくかん》の内田詮三《うちだせんぞう》館長《かんちょう》の、考《かんが》えなんだ。

獣医《じゅうい》の基本《きほん》を教《おし》えてもらえたおかげで、いまの自分《じぶん》がいる。きびしい館長《かんちょう》だけれど、すごく感《かん》

謝《しゃ》している。

ぼくはフジに、横《よこ》たわるようサインを出《だ》す。

フジが泳《およ》ぎを止《と》めて、体温《たいおん》をはかりやすいよう、おなかを上《うえ》にする。

「あ、フジが、言《い》うこときいている……。」

古網《こあみ》がとなりで、フジを見《み》つめている。

「ほら、貸《か》して？」

古網《こあみ》から、体温計《たいおんけい》のはいっている箱《はこ》を受《う》け取《と》る。大《おお》きなプラスチックのお弁当箱《べんとうばこ》みたいだ。やわらかいストローのような管《くだ》をフジの肛門《こうもん》に入《い》れて、体温《たいおん》をはかる。

古網《こあみ》がそのようすを、おどろいたように見《み》ている。

「なあ、古網《こあみ》。もしイルカが体温測定《たいおんそくてい》させてくれなかったら、どうする？」

「体温測定《たいおんそくてい》はイルカの健康《けんこう》を知《し》るために必要《ひつよう》ですから。むりやりつかまえてでも、したいですよ。」

「でも、イルカは自分《じぶん》の健康《けんこう》のため、なんてわからないだろう？」

「ヘンなものを肛門《こうもん》に入《い》れられて、気分《きぶん》が悪《わる》いだけでしょうけれど。」

「だから獣医《じゅうい》も、イルカとのコミュニケーションのとりかたを知《し》らないと、体温測定《たいおんそくてい》も採血《さいけつ》もできないってこと。」

「でも、それとイルカショーとは関係《かんけい》ないじゃないですか。」

「イルカショーがいちばん、イルカの状態《じょうたい》がわかるんだよ。サインへの反応《はんのう》。ジャンプの高《たか》さ。ほかのイルカたちと仲良《なかよ》くやっているのか、ケンカをしているのか。それに、いっしょにショーをすると、仲間《なかま》の飼育係《しいくがかり》とのコミュニケーションもとれる。」

「はあ。」

「飼育係《しいくがかり》と同《おな》じ視点《してん》から、イルカを見《み》る。これは大切《たいせつ》なことなんだ。」

「さっきはこんな動《うご》きだった、と、言葉《ことば》だけじゃ伝《つた》わりにくいですよね。」

「そのとおり。いっしょに動《うご》いて、イルカを見《み》ること。飼育係《しいくがかり》の気持《きも》ちを、理解《りかい》すること。獣医《じゅうい》

が勝手《かって》に判断《はんだん》して、勝手《かって》にイルカの治療《ちりょう》をして、もし、イルカが死《し》んだりでもしたら、飼育係《しいくがかり》との信頼関係《しんらいかんけい》も失《うしな》う。」

「……はい。」

「飼育係《しいくがかり》の大切《たいせつ》なパートナーが、獣医《じゅうい》のせいで人間《にんげん》ぎらいになったり、納得《なっとく》できない治療《ちりょう》で具合《ぐあい》が悪《わる》くなったりしたら、仲間《なかま》として失格《しっかく》だ。獣医《じゅうい》はイルカと、飼育係《しいくがかり》のためにいるんだ。自分《じぶん》の研究《けんきゅう》や都合《つごう》のためじゃないさ。」

古網《こあみ》はマジメな顔《かお》をして聞《き》いている。

ぼくは、にっと笑《わら》う。

「飼育係《しいくがかり》とイルカは二人三脚《ににんさんきゃく》。獣医《じゅうい》も入《い》れて三人四脚《さんにんよんきゃく》。足並《あしな》みがずれたら前《まえ》へは進《すす》めないだろ？」

古網《こあみ》が、いたずらっぽく笑《わら》って、こちらを見《み》る。

「イルカに、足《あし》はないですけれどね。」

ほう、新人《しんじん》、なかなか言《い》うじゃないか。

「そうだなあ、ないなあ。」

ぼくは、フジをのぞきこむようにしている、古網《こあみ》の背中《せなか》をかるく押《お》してやった。

「うわ……っ！」

どぼーん！

派手《はで》な水《みず》しぶきをあげて、古網《こあみ》は水《みず》のなか。フジがからかうように、古網《こあみ》のまわりを泳《およ》いでいる。

「植田《うえだ》さん、かんべんしてくださいよ〜。」

「新人《しんじん》クン。まだまだ修行《しゅぎょう》がたらんのお。」

2　発病《はつびょう》

二〇〇二年《ねん》十月《がつ》十六日《にち》。沖縄《おきなわ》の秋《あき》は、まだ夏《なつ》のような太陽《たいよう》が照《て》りつける。

その日《ひ》は、あまりにも突然《とつぜん》、やってきた。


「植田《うえだ》さん、フジが魚《さかな》をいやがるんです。」

「フジが？」

飼育係《しいくがかり》から、声《こえ》がかかる。おかしい。どこか具合《ぐあい》が悪《わる》いのかもしれない。

「熱《ねつ》は？」

「平熱《へいねつ》です。とくにかわったところは。どうしましょう。もう一日《にち》、ようすをみますか？」

「いや、すぐに検査《けんさ》をしよう。フジのいるプールの水《みず》をぬいて。」

「はい。」

血液《けつえき》の検査《けんさ》をするための道具《どうぐ》を用意《ようい》して、プールに向《む》かう。

血液《けつえき》の成分《せいぶん》を調《しら》べれば、イルカがどういう状態《じょうたい》なのか、だいたいわかる。

プールの水《みず》をぬくと、イルカは泳《およ》ぐことができない。水《みず》のないプールの底《そこ》で、フジがおとなしくしていた。

「あ……。」

飼育係《しいくがかり》から声《こえ》があがる。

「尾《お》びれの先《さき》が、白《しろ》い。」

「え？」

あわてて駆《か》け寄《よ》る。

フジの、大《おお》きくてきれいなカタチの尾《お》びれ。その先《さき》っぽだけが、わずかに白《しろ》く変色《へんしょく》していた。

「これ……。」

白《しろ》い尾《お》びれを見《み》つめる。

「壊死《えし》だ。」

となりで、海獣課《かいじゅうか》の宮原課長《みやはらかちょう》が、ぼくの不安《ふあん》をそのまま言葉《ことば》にした。

壊死《えし》。

尾《お》びれがくさりはじめている。尾《お》びれの壊死《えし》を、見《み》たことがある。フジの子《こ》どものリュウが、ケンカをしたとき。ほかのイルカにかまれて、そこから雑菌《ざっきん》がはいったのだ。

あのときは傷《きず》が原因《げんいん》だった。だから傷《きず》さえ治《なお》せば、すぐに壊死《えし》は止《と》まった。

でも、フジの場合《ばあい》は？　傷《きず》なんてない、どこにもない。

ただ、尾《お》びれの先《さき》から、白《しろ》く壊死《えし》がはじまっているだけなのだ。原因《げんいん》はなんだ？

「採血《さいけつ》する。」

尾《お》びれのまんなかにある血管《けっかん》に針《はり》をさして、フジの血液《けつえき》をとる。

フジの白《しろ》くなった尾《お》びれの部分《ぶぶん》に、消毒液《しょうどくえき》をスプレーする。

ぼくはプールから上《あ》がった。

検査室《けんさしつ》で血液《けつえき》を分析《ぶんせき》すると、具合《ぐあい》の悪《わる》さを示《しめ》す白血球《はっけっきゅう》の値《あたい》が、いつもの二倍《ばい》になっていた。フジのカラダに、なにかが起《お》きている……。

「明日《あした》の朝《あさ》、ショーがはじまるまえに、もういちど検査《けんさ》をする。みんな七時《じ》にきてくれ。」

全員《ぜんいん》が、うなずく。

でも、このときは、ぼくたちはまだ、これからフジに起《お》こることの重大《じゅうだい》さに、気《き》がつかないでいた。

翌朝《よくあさ》。いやな予感《よかん》がした。

いてもたってもいられなくて、七時《じ》よりも早《はや》く水族館《すいぞくかん》にいく。

「尾《お》びれの白《しろ》い部分《ぶぶん》が、なくなっていればいいのに。」

そんなことを、願《ねが》いながら。

でも、ぼくたちは現実《げんじつ》を突《つ》きつけられることになる。

壊死《えし》が進行《しんこう》していた。

「白《しろ》いところが広《ひろ》くなっている。」

水《みず》のないプール。その場《ば》にいた、全員《ぜんいん》が凍《こお》りつく。

異様《いよう》な雰囲気《ふんいき》を感《かん》じたのか、フジがカラダをくねらせ、逃《に》げようとする。

「動《うご》かないよう、ちゃんと押《お》さえてくれ。」

「はい。」

背《せ》の高《たか》い古網《こあみ》が、前《まえ》に進《すす》み出《で》て、フジの尾《お》びれをかかえる。尾《お》びれの付《つ》け根《ね》を、上《うえ》から右手《みぎて》でかかえこむ。そのまま目《め》の前《まえ》にある尾《お》びれを、両手《りょうて》で持《も》つ。

フジの尾《お》びれは、古網《こあみ》の顔《かお》のまん前《まえ》にあった。

「う……。」

古網《こあみ》が、周囲《しゅうい》に気《き》づかれないよう、そっと顔《かお》をしかめた。

ぼくには、その理由《りゆう》がわかった。

フジの尾《お》びれは、くさって、ひどい臭《にお》いがしていたのだ。

ぼくは餌《えさ》の魚《さかな》のなかに、薬《くすり》をつめこみ、フジに食《た》べさせた。

これで壊死《えし》が止《と》まってくれれば……。

そんな、はかない希望《きぼう》は、あっさりと打《う》ち砕《くだ》かれた。

翌日《よくじつ》からも、壊死《えし》は止《と》まらないばかりか、加速《かそく》をつけたように進行《しんこう》していた。

そして、このころから、フジは魚《さかな》を食《た》べることもやめてしまう。

「植田《うえだ》さん！　魚《さかな》を食《た》べなきゃ、死《し》んじゃいます。なんとかしてください！」

飼育係《しいくがかり》の悲痛《ひつう》な声《こえ》がする。

待《ま》ってくれ。必《かなら》ず原因《げんいん》を見《み》つけるから！

でも、時間《じかん》は待《ま》ってくれない。

ありったけの本《ほん》や資料《しりょう》を調《しら》べる。インターネットで海外《かいがい》からの情報《じょうほう》も集《あつ》める。だけど、調《しら》べて

も、調《しら》べても、原因《げんいん》がわからない。

どこにもフジのような例《れい》は、報告《ほうこく》されていないのだ。

そうしているあいだにも、フジの尾《お》びれの白《しろ》い部分《ぶぶん》は、どんどん広《ひろ》がっていく。

一日《にち》。二日《ふつか》。三日《みっか》……。時間《じかん》だけが、無情《むじょう》にすぎていく。

飼育日誌《しいくにっし》には、細《こま》かくフジの食事状況《しょくじじょうきょう》がつづられている。

『サバ、いやがる。』

『シシャモ、良好《りょうこう》。』

『口《くち》から出《だ》し、食《た》べず。』……。

フジが少《すこ》しでも食《た》べやすいものを。ちょっとでも食《た》べてくれるように。

そんな切《せつ》ないほどの願《ねが》いが、書《か》かれていた。

くそう！　原因《げんいん》は、なんなんだ！

原因《げんいん》がわからなければ、手《て》の打《う》ちようもない。

ぼくは、沖縄県立北部病院《おきなわけんりつほくぶびょういん》の嘉陽先生《かようせんせい》に連絡《れんらく》した。

嘉陽先生《かようせんせい》は人間《にんげん》のお医者《いしゃ》さんだ。イルカも、人間《にんげん》と同《おな》じ哺乳類《ほにゅうるい》。いつもイルカの治療《ちりょう》について相談《そうだん》にのってもらっていた。

でも、さすがの嘉陽先生《かようせんせい》も、フジのような例《れい》は聞《き》いたことがないという。

「くさった部分《ぶぶん》は、切除《せつじょ》したほうがいい。」

嘉陽先生《かようせんせい》の意見《いけん》だった。ぼくも賛成《さんせい》した。くさった部分《ぶぶん》を切《き》り取《と》れば、これ以上《いじょう》、広《ひろ》がるのをふせげるかもしれない。

嘉陽先生《かようせんせい》が、病院《びょういん》の診療《しんりょう》が終《お》わったあとに、水族館《すいぞくかん》まできてくれる。フジの尾《お》びれの、白《しろ》くなった部分《ぶぶん》を切《き》り取《と》っていく。これで壊死《えし》が止《と》まってくれれば……。

けれど、状況《じょうきょう》は変《か》わらなかった。

そのつぎの日《ひ》も、壊死《えし》はすすんでいった。切《き》った部分《ぶぶん》から、また尾《お》びれは白《しろ》くなっていく。

いったい、どうなっているんだ！

ほかの水族館《すいぞくかん》にいる獣医《じゅうい》に、かたっぱしから電話《でんわ》をしていった。でも、水族館《すいぞくかん》で飼育《しいく》しているイルカに、そんな例《れい》は、聞《き》いたこともないという。

さいごに鴨川《かもがわ》シーワールドの勝俣獣医《かつまたじゅうい》に、電話《でんわ》をしたときだった。

彼女《かのじょ》はフジと同《おな》じような例《れい》を、治療《ちりょう》したことがあるという。

「海岸《かいがん》に打《う》ち上《あ》げられたイルカの尾《お》びれが、壊死《えし》していた例《れい》があるわ。」

「ほんとうですか？　どうやって治療《ちりょう》したんですか！」

メモ帳《ちょう》をたぐりよせ、ボールペンを、強《つよ》く握《にぎ》りしめる。

「特殊《とくしゅ》な機械《きかい》を使《つか》って、壊死《えし》した部分《ぶぶん》を切《き》り落《お》としたの。でもね、切《き》っても切《き》っても、壊死《えし》は止《と》まらなかったわ。」

「え？」

ぼくの心臓《しんぞう》が、どきりとした。

「止《と》まらないの。どれだけ治療《ちりょう》しても、同《おな》じ作業《さぎょう》がずっとつづくの。」

「…………」

「死《し》ぬまでつづくの。」

「は……い。」

ぼくの声《こえ》は、ふるえていたかもしれない。

「どれだけがんばっても、死《し》ぬわ。そして疲労《ひろう》と脱力感《だつりょくかん》。イルカを死《し》なせてしまった、自分《じぶん》の無《む》力《りょく》さを、思《おも》いしらされるだけよ。」

……ありがとうございました。

それだけ言《い》って、電話《でんわ》を切《き》った。それ以上《いじょう》、なにも言《い》えなかった。

フジは、このまま死《し》ぬしかないのか？　ぼくたちは、なにもできないのか？

フジのいるプールに向《む》かった。フジは、ゆっくりと泳《およ》ぎながら、こちらを見《み》ている。がんこばばあ！　フジに向《む》かってそう言《い》ったこともある。ほんとうに意地《いじ》っぱりで、ひねくれていて。だけど、仲間《なかま》のイルカにはやさしい、きもっ玉母《たまかあ》さんだ。

子育《こそだ》て上手《じょうず》のフジ。

ぼくの目《め》の前《まえ》で、陣痛《じんつう》に耐《た》えて耐《た》えて、チャオを産《う》んだ。出産《しゅっさん》で疲《つか》れているはずなのに、ずっとチャオにつきそって泳《およ》ぐ、やさしいお母《かあ》さん。

助《たす》けてやりたい。でも、どうすればいいんだ？

「自分自身《じぶんじしん》が迷《まよ》うな！」

ぼくは獣医《じゅうい》だ。自分《じぶん》が迷《まよ》えば、飼育係全員《しいくがかりぜんいん》が不安《ふあん》になる。仲間《なかま》を、不安《ふあん》にさせるわけにはいかない。

ぼくは、ある決断《けつだん》をして、海獣課《かいじゅうか》の宮原課長《みやはらかちょう》に伝《つた》えた。

宮原課長《みやはらかちょう》は、ぼくの意見《いけん》を受《う》け入《い》れてくれた。

夕方《ゆうがた》、フジのまわりに飼育係《しいくがかり》が集《あつ》まる。

ぼくはみんなに、鴨川《かもがわ》シーワールドの勝俣獣医《かつまたじゅうい》の話《はなし》を伝《つた》えた。切《き》っても切《き》っても、壊死《えし》が止《と》まらないことを。

これだけ、がんばって治療《ちりょう》していることが、まったくむくわれないかもしれないことを。このままでは、フジは死《し》んでしまうということを。

みんなの表情《ひょうじょう》が、つらそうになるのがわかる。

だけど事実《じじつ》を伝《つた》えたかった。調子《ちょうし》のいい話《はなし》をして、「治《なお》りますよ。」なんて言《い》えない。いいことも、悪《わる》いことも、仲間《なかま》といっしょに受《う》けとめたかった。

みんなの顔《かお》を見《み》て、ふたたび息《いき》を吸《す》いこむ。そして言《い》った。

「もういちど、フジの尾《お》びれの、切除手術《せつじょしゅじゅつ》をします。」

「また、尾《お》びれを切《き》るのか？」

みんなの表情《ひょうじょう》がこわばっている。

「切《き》っても、治《なお》るわけじゃないんでしょ？」

「大《おお》きく切《き》り落《お》とせば、壊死《えし》が止《と》まる可能性《かのうせい》がある。こんどは壊《え》死《し》した部分《ぶぶん》を、確実《かくじつ》に切《き》り落《お》とす。切《き》り取《と》る部分《ぶぶん》は、そうとう大《おお》きくなるけれど。」

飼育係《しいくがかり》が、全員《ぜんいん》、ぼくを見《み》つめていた。

可能性《かのうせい》がわずかでもあるのなら。できるかぎりのことをする。

獣医《じゅうい》として、フジの命《いのち》を助《たす》けるために、ぼくにできることはすべて、してやりたかった。

十一月七日《がつなのか》。フジが発病《はつびょう》してから三週間後《しゅうかんご》。暖《あたた》かいはずの十一月《がつ》の沖縄《おきなわ》。

でも、夕方《ゆうがた》になると水《みず》をぬいたプールの底《そこ》に、冷《つめ》たい風《かぜ》がふいていた。

ぼくは、水《みず》にぬれてもいいように、ひざまでのウェットスーツを着《き》こむ。

その上《うえ》に、ブルーのドクタージャケットを羽織《はお》った。

背中《せなか》には「沖縄美ら海水族館《おきなわちゅうみすいぞくかん》」のマークと文字《もじ》。

この水族館《すいぞくかん》の獣医《じゅうい》として、フジのために、水族館《すいぞくかん》の仲間《なかま》のために。いまの自分《じぶん》の最善《さいぜん》をつくす。

水《みず》のないプールの底《そこ》で、フジがいつもの治療《ちりょう》のときのように、イルカ用《よう》の担架《たんか》に乗《の》せられている。

飼育係《しいくがかり》の表情《ひょうじょう》がきびしい。かけあう言葉《ことば》も少《すく》ない。

いつもとはちがう、緊張《きんちょう》した雰囲気《ふんいき》。

フジは、いまから自分《じぶん》になにが起《お》きるのか、本能《ほんのう》で知《し》っていたのだろうか。

「はじめます。」

ぼくの声《こえ》を合図《あいず》に、飼育係《しいくがかり》が、フジが動《うご》かないように押《お》さえる。

古網《こあみ》が必死《ひっし》に、フジの背中《せなか》に体重《たいじゅう》をかけている。

「がんばれよ。すぐに終《お》わるから。」

古網《こあみ》の顔《かお》には、そんな思《おも》いがこめられている。

「お願《ねが》いします。」

ぼくは、沖縄県立北部病院《おきなわけんりつほくぶびょういん》の嘉陽先生《かようせんせい》に、麻酔《ますい》の注射器《ちゅうしゃき》をわたした。

先生《せんせい》は今日《きょう》も、フジのためにきてくれていた。

尾《お》びれの右半分《みぎはんぶん》を、嘉陽先生《かようせんせい》が切《き》る。そして左半分《ひだりはんぶん》を、ぼくが切《き》ると決《き》めていた。

ふたりで担当《たんとう》することで、イルカの尾《お》びれを切《き》るつらさを、半分《はんぶん》ずつにしたかった。

「このへんかな。」

嘉陽先生《かようせんせい》が、麻酔注射《ますいちゅうしゃ》を打《う》つまえに、たしかめる。

迷《まよ》うのもむりはない。

灰色《はいいろ》であるはずのフジの尾《お》びれは、半分以上《はんぶんいじょう》が真《ま》っ白《しろ》になっている。

そして背中《せなか》に向《む》かって力《ちから》なく、くるりと、丸《まる》まっているのだ。

先《さき》っぽは、手《て》でちぎろうと思《おも》えば、とれてしまうくらいの、はかなさ。

このひどい状態《じょうたい》を見《み》て、だれがイルカの尾《お》びれだと、わかるだろう。

「ここで、お願《ねが》いします。」

フジの尾《お》びれを、赤外線《せきがいせん》サーモグラフィで撮影《さつえい》した写真《しゃしん》。

壊死《えし》している部分《ぶぶん》が、はっきりわかる写真《しゃしん》を、嘉陽先生《かようせんせい》に見《み》せながら、答《こた》える。

「確実《かくじつ》に、壊死《えし》している部分《ぶぶん》を切《き》り取《と》ろう。」

嘉陽先生《かようせんせい》がぼくの目《め》を見《み》て言《い》う。

「はい。」

ぼくは嘉陽先生《かようせんせい》に、うなずき返《かえ》した。

少《すこ》しでも残《のこ》っていると、そこからまた壊死《えし》がはじまる。

確実《かくじつ》にぜんぶ。必要《ひつよう》なら、尾《お》びれをぜんぶ切《き》り取《と》ってでも、フジを助《たす》けたい。

嘉陽先生《かようせんせい》の手《て》で、フジの尾《お》びれの右半分《みぎはんぶん》が切除《せつじょ》されていく。

ぼくは、医師《いし》として大先輩《だいせんぱい》である嘉陽先生《かようせんせい》の動《うご》きを、しっかりと見《み》つめていた。

手術《しゅじゅつ》の方法《ほうほう》。電気《でんき》メスの使《つか》い方《かた》……。

電気《でんき》メスは、切《き》ると同時《どうじ》に、傷口《きずぐち》が出血《しゅっけつ》しないように処置《しょち》もできる。

これのおかげで、水《みず》のなかで生《い》きる動物《どうぶつ》でも、手術《しゅじゅつ》ができるようになったのだ。

いまの技術《ぎじゅつ》の進歩《しんぽ》に、ぼくは感謝《かんしゃ》した。

つぎは、ぼくの番《ばん》だ。

切《き》り取《と》る尾《お》びれの左側《ひだりがわ》に、麻酔注射《ますいちゅうしゃ》を打《う》っていく。できるだけ、ていねいに。切《き》るときに、フジに痛《いた》みが少《すこ》しでもないように。

「しっかり押《お》さえて。」

もういちど、飼育係《しいくがかり》に声《こえ》をかける。

みんなが、あらためて、フジを押《お》さえつける。

やさしい古網《こあみ》は、泣《な》きそうな顔《かお》をしていたかもしれない。

でも、いまのぼくに、古網《こあみ》の気持《きも》ちや、飼育係《しいくがかり》のことを考《かんが》える余裕《よゆう》はない。

目《め》の前《まえ》にある、フジの尾《お》びれに集中《しゅうちゅう》する。

ジッ！

電気《でんき》メスをフジの尾《お》びれにつけたとたん、音《おと》がして、煙《けむり》があがる。

ひるむな。早《はや》く、正確《せいかく》に切《き》るんだ。

くさった部分《ぶぶん》は、ぜんぶ切《き》り取《と》って、必《かなら》ず治《なお》してやる！

一回《かい》、二回《かい》、三回《かい》……。

短《みじか》い電気《でんき》メスの刃《は》では、厚《あつ》みのある尾《お》びれを一回《かい》で切《き》り落《お》とせない。

「きゅ〜ん、きゅ〜ん……。」

悲《かな》しげなフジの声《こえ》が聞《き》こえる。

麻酔注射《ますいちゅうしゃ》はしたけれど、痛《いた》みがないかどうかは、わからない。

きっと、痛《いた》いのかもしれない。それに……不安《ふあん》じゃない、はずがない。

ごめん。でも、すぐに終《お》わらせるから！

四回《かい》めで、ほとんどの部分《ぶぶん》がはなれ、五回《かい》めで、尾《お》びれがはなれた。

さいごの数《すう》センチを切《き》りはなすと、ぼくの左《ひだり》の手《て》のひらに、重《おも》みがかかった。

切《き》り落《お》とされたフジの尾《お》びれ。

フジを見《み》ると、尾《お》びれのあった部分《ぶぶん》は、信《しん》じられないくらい小《ち》さな、うちわのようになっていた。

「こんなに……切《き》らなければダメだったんだ。」

そのとたん、自分《じぶん》がしたことの重大《じゅうだい》さが、のしかかってきた。

ぼくは、イルカの尾《お》びれを切《き》り落《お》とした。

「水《みず》を出《だ》します！」

飼育係《しいくがかり》の声《こえ》がする。手術《しゅじゅつ》の終了《しゅうりょう》と同時《どうじ》に、プールに水《みず》がはいってくる。

手術《しゅじゅつ》の道具《どうぐ》を、大急《おおいそ》ぎでプールの上《うえ》に運《はこ》びだす。
できるかぎりのことは、やった。切《き》り取《と》れる部分《ぶぶん》は、切《き》り取《と》ったはずだ。
あとはフジの生命力《せいめいりょく》に、かけるしかない。
水《みず》がだんだん、増《ふ》えていく。フジがばたばたと尾《お》びれを動《うご》かし、泳《およ》ごうとする。
でも……。
いくら尾《お》びれを動《うご》かしても、前《まえ》に進《すす》まないことに、とまどうフジがいた。

3　ブリヂストン

翌朝《よくあさ》、フジのプールに向《む》かう。古網《こあみ》がプールサイドにしゃがんでいた。

「どうだ、フジ？」

「ぜんぜん、泳《およ》ぎません。」

フジは水面《すいめん》に浮《う》かんだまま、ぼんやりとしていた。

小《ちい》さなうちわのような尾《お》びれ。まったく動《うご》かそうとしない。

手術《しゅじゅつ》が終《お》わったあとは、少《すこ》しは泳《およ》ごうとしていたのに。

いくら尾《お》びれをふっても、前《まえ》に進《すす》まないことを、もうフジは知《し》っていた。

「食欲《しょくよく》は？」

「少《すこ》し食《た》べますね。シシャモと、サバがいいみたいです。ただ……。」

「？」

「口《くち》のなかに魚《さかな》を入《い》れてあげないと、ダメなんです。」
元気《げんき》なときのフジは、魚《さかな》のはいった青《あお》いバケツを持《も》った飼育係《しいくがかり》の姿《すがた》を見《み》ると、大急《おおいそ》ぎでプールサイドに泳《およ》いでくる。

そのまま立《た》ち泳《およ》ぎをして、顔《かお》を水面《すいめん》に出《だ》し、大《おお》きく口《くち》を開《あ》けてねだるのだ。

でも、いまは。

古網《こあみ》がバケツから魚《さかな》をとり、浮《う》いているフジの口《くち》のなかに入《い》れる。

フジは、アタマだけを動《うご》かして、めんどうくさそうに、食《た》べる。

「少《すこ》し、遠《とお》いところに投《な》げてみたらどうだ？ 泳《およ》いで食《た》べにいかないか？」

「さっき、やってみたんですけれど。もう一回《かい》、やってみましょうか。」

古網《こあみ》はふたたび魚《さかな》を手《て》にすると、フジのアタマから一メートルくらい手前《てまえ》に落《お》とす。

フジが、ちらりと見《み》る。でも、動《うご》こうとしない。

魚《さかな》はそのまま、ゆっくりと水《みず》のなかに沈《しず》んでいった。

プールの底《そこ》にあたったとき、ことん、と、音《おと》がした気《き》がした。

それは、なにかをあきらめた、悲《かな》しみの音《おと》のようだった。

フジの目《め》が動《うご》いて、ぼくを見《み》ていた。じっと見《み》つめるフジの目《め》。

『あんた、アタシをどうしてくれるのよ。』

『こんな姿《すがた》にして、なんとかしてよ。』

フジが、そう言《い》っている気《き》がした。泳《およ》げなくなった責任《せきにん》を、つきつけられているようだ。

ぼくは、獣医《じゅうい》として、これからフジになにができるのだろう。

このままでは終《お》われない。ぜったいになにか、方法《ほうほう》があるはずだ。


そのうち、フジが泳《およ》ぎはじめた。でも、それは。

くねくねっ、くねくねっ……。

まるで魚《さかな》のようにカラダを横《よこ》にふっていた。こうして、かろうじて少《すこ》しずつ前《まえ》に進《すす》んでいるのだ。

優雅《ゆうが》なイルカのドルフィンキックとは、かけはなれた姿《すがた》だった。

「尾《お》びれを上下《じょうげ》にふっても泳《およ》げない。カラダを左右《さゆう》に動《うご》かしたほうが、速《はや》く前《まえ》に進《すす》むって気《き》づいたみたいだな。」

「なんだか……イルカじゃない、べつの生《い》き物《もの》みたいですね。」

古網《こあみ》は、左右《さゆう》に腰《こし》をふるように動《うご》くフジを、さみしそうに見《み》つめていた。

ザバッ！

そのとき、となりのプールで水《みず》しぶきがあがり、イルカがジャンプする。

水《みず》に落《お》ちてくると、すかさず、ほかのイルカと追《お》いかけっこをはじめた。

泳《およ》ぎが速《はや》い。水《みず》のなかを自由《じゆう》に泳《およ》ぐ、イルカたち。ときどき水面《すいめん》に出《で》て呼吸《こきゅう》をする。

ぷはーっ。ぷはーっ。

水《みず》のなかからイルカたちの、小《ちい》さな音《おと》の会話《かいわ》が、聞《き》こえてくる。

ピュイッ、ピューイッ……。ピーッ、ピイーッ……。

水《みず》にぬれたカラダ。太陽《たいよう》の光《ひかり》が反射《はんしゃ》して、輝《かがや》いている。

なによりも、大《おお》きな尾《お》びれが美《うつく》しい。

けれど、フジは、浮《う》いていた。


数日後《すうじつご》。

傷口《きずぐち》は、まだ血《ち》がにじんでいる。でも、白《しろ》い部分《ぶぶん》はもうなくなっていた。

フジの尾《お》びれの壊死《えし》は止《と》まっていた。

「もうだいじょうぶ。」

フジの命《いのち》を助《たす》けることができて、獣医《じゅうい》の役目《やくめ》は果《は》たしたはずだった。けれどぼくのなかには、不完全燃焼《ふかんぜんねんしょう》の気持《きも》ちだけが残《のこ》っている。

飼育係《しいくがかり》といっしょに、イルカ飼育《しいく》を一から教《おそ》わった。イルカにとって大切《たいせつ》なこと。水族館《すいぞくかん》にいる、ぼくたちがしなければならないこと。

ぼくにできることが、まだあるはずだ。

このままで、終《お》わらせるわけにはいかない。

ぼくは、ふと、サメに両方《りょうほう》の手《て》びれを食《く》いちぎられた、ウミガメの話《はなし》を思《おも》い出《だ》す。

両手《りょうて》びれをなくして、浮《う》くだけだったウミガメ。アメリカの「グッドイヤー」というタイヤメーカーが、ゴムで人工《じんこう》の手《て》びれをつくったら、自分《じぶん》で方向《ほうこう》を変《か》えられるようになり、餌《えさ》を食《た》べられるようになったのだ。

ゴムでつくった人工《じんこう》のひれ。

人工《じんこう》の、ひれ……。

フジにも、人工《じんこう》の尾《お》びれをつくれないだろうか？

人間《にんげん》だって、足《あし》をなくした人《ひと》は、義足《ぎそく》をつける。そして「リハビリテーション」をして、歩《ある》いている。

そうだ。なくした尾《お》びれは、つくればいいじゃないか。イルカだって、人工尾《じんこうお》びれをつけてリハビリをすれば、もういちど泳《およ》げるようになるかもしれない。

朝晩《あさばん》、いまもつづけられているフジの尾《お》びれ消毒治療《しょうどくちりょう》。水《みず》のぬかれたプールの底《そこ》で、ぼくは古《こ》網《あみ》に話《はな》しかけた。

「なあ、古網《こあみ》。」

古網《こあみ》は、泳《およ》げなくなったフジのこれからを思《おも》い、毎日《まいにち》、暗《くら》い顔《かお》をしていた。

「フジの尾《お》びれ、つくってもらわないか？」

「は？」

「サメに手《て》びれを食《く》いちぎられたウミガメが、アメリカにいてさ。」

「へえ。」

「タイヤメーカーが、手《て》びれを、つくってくれたんだ。」

「すごいですね。」

古網《こあみ》がちょっと笑《わら》った。

「だからフジにも、尾《お》びれをつくってもらうってのは、どうだ？」

「人工尾《じんこうお》びれがあったら、また、泳《およ》げますよね。」

「イルカをさわるとゴムみたいだからな。むこうがアメリカのタイヤメーカーなら、こっちは日本《にっぽん》の、ブリヂストンはどうだ？」

「ブリヂストンですか！」

古網《こあみ》が目《め》を輝《かがや》かせる。クルマが大好《だいす》きな古網《こあみ》は、モータースポーツのF1《エフワン》レースのテレビ中継《ちゅうけい》を、毎回《まいかい》、欠《か》かさずに見《み》ている。F1《エフワン》のタイヤもつくっているブリヂストンは、古網《こあみ》のあこがれの存在《そんざい》だ。

「なんたって、きもっ玉母《たまかあ》さんフジの尾《お》びれなんだから。つくるなら、やっぱりトップメーカーにつくってもらわないとな。」

「いいですね。じゃ、大《おお》きいのつくってもらいましょうよ。でっかいジャンプができるんじゃないですか？」

「あほ。そんなのつけたら、ジャンプするまえにフジが沈《しず》むぞ。」

ひさしぶりに古網《こあみ》が笑《わら》っていた。ぼくたちの会話《かいわ》を聞《き》いて、まわりで飼育係《しいくがかり》が、くすくす笑《わら》っている。ちょっとだけ、みんな、元気《げんき》になっただろうか。

その日《ひ》の午後《ごご》、ぼくは、水族館《すいぞくかん》の内田館長《うちだかんちょう》の部屋《へや》にいた。

「人工尾《じんこうお》びれ？」

内田館長《うちだかんちょう》は、目《め》をぎょろっと光《ひか》らせて、ぼくを見《み》る。

この気迫《きはく》。館長《かんちょう》の存在感《そんざいかん》は格別《かくべつ》だ。

「いままでの獣医《じゅうい》の仕事《しごと》は、イルカの病気《びょうき》を治《なお》すところで終《お》わっていました。でも、これからは、リハビリをするところまで、考《かんが》えたいと思《おも》います。」

ふうん、というように、内田館長《うちだかんちょう》は、ぼくを真正面《ましょうめん》から見《み》ている。

「ぼくは、フジの尾《お》びれの手術《しゅじゅつ》をしました。切《き》った張本人《ちょうほんにん》として、泳《およ》げるようになるまで、責任《せきにん》をもちたいんです。」

「フジの病気《びょうき》の原因《げんいん》は？」

「わかりません。」

「だろうな。海《うみ》の生《い》き物《もの》には、まだまだ、わからないことがたくさんある。」

「はい。」

「海《うみ》にすむイルカを、水族館《すいぞくかん》なんかで飼育《しいく》しているから病気《びょうき》になる。そう言《い》われても仕方《しかた》がないだろう。」

館長《かんちょう》の言《い》うとおりだった。野生《やせい》のイルカにも同《おな》じような例《れい》はある。でも、フジの病気《びょうき》の原因《げんいん》がわからない以上《いじょう》、プールのせいだ。冷凍《れいとう》の魚《さかな》を食《た》べさせているせいだ。そう言《い》われても、言《い》い返《かえ》せない。

「だけど。」

館長《かんちょう》がつづける。

「多《おお》くの人《ひと》たちが、イルカが見《み》たい。海《うみ》の生物《せいぶつ》が見《み》たい。そう願《ねが》うなら、その場所《ばしょ》を提供《ていきょう》するのが、我々《われわれ》の使命《しめい》だ。」

ぼくはうなずく。イルカたちを見《み》てもらい、海《うみ》の大切《たいせつ》さ、命《いのち》の大切《たいせつ》さを知《し》ってもらう。それは、水族館《すいぞくかん》の大切《たいせつ》な役割《やくわり》なのだ。

「だから、水族館《すいぞくかん》にいる人間《にんげん》は、愚痴《ぐち》ひとつ言《い》わないイルカたちに、できるかぎりのことをしてやらなければならない。」

「はい。」

「人工尾《じんこうお》びれか。」

ぼくは背《せ》すじをのばす。

「おもしろそうじゃないか。」

館長《かんちょう》がにやり、と笑《わら》う。

やった！

「ただし、条件《じょうけん》がある。」

きびしい表情《ひょうじょう》にもどった館長《かんちょう》が言《い》う。

ぼくはふたたび、背《せ》すじをのばす。

「人工尾《じんこうお》びれをつくりました。すごいですね。そんなお涙《なみだ》ちょうだいなら、お断《ことわ》りだ。」

「はい。」

「人工尾《じんこうお》びれなんて、イルカにとっちゃ迷惑《めいわく》なのかもしれない。こんなものつけやがって、泳《およ》ぎにくくってしょうがない。そう思《おも》っているかもしれない。」

そのとおりだ。イルカの、フジの気持《きも》ちなんて、だれにもわからない。

「ちゃんとしたデータを残《のこ》せ。」

「はい。」

「泳《およ》ぎがこれだけ、よくなりました、ということをしっかり証明《しょうめい》しろ。人間《にんげん》の自己満足《じこまんぞく》のためじゃない。イルカのためにほんとうにいいものを。今後《こんご》のイルカ治療《ちりょう》、イルカ飼育《しいく》につながるものじゃなければ、やる意味《いみ》はないぞ。」

「はい！」

　ぼくはさっそく、高校時代《こうこうじだい》にバスケットボール部《ぶ》のチームメイトだった、苫米地《とまべち》に連絡《れんらく》をする。絵《え》を描《か》くのがうまかった苫米地《とまべち》は、ブリヂストンの子会社《こがいしゃ》である『ブリヂストンスポーツ』という会社《かいしゃ》のデザイナーになっていた。

「イルカの人工尾《じんこうお》びれ？」

　苫米地《とまべち》はそうとうびっくりしたようだけれど、すぐにブリヂストン本社《ほんしゃ》と連絡《れんらく》をとってくれた。

　連絡《れんらく》をうけたブリヂストン本社《ほんしゃ》は、とまどっていた。

　ブリヂストンは、タイヤやゴム製品《せいひん》を販売《はんばい》している会社《かいしゃ》だ。製品《せいひん》を売《う》って、その利益《りえき》で従業員《じゅうぎょういん》の給料《きゅうりょう》をはらっている。会社《かいしゃ》というものは、そうして成《な》り立《た》っているのだ。

　けれど人工尾《じんこうお》びれは、開発《かいはつ》をしたところで、だれに売《う》るわけでもない。もうかるわけでもない。つくってもらってうれしいのは、フジだけだ。わざわざそんなものを、つくるわけにいかないだろう。

　ただ、ブリヂストンの人《ひと》たちは、イルカということで、興味《きょうみ》をもってくれたようだ。生《い》き物相《ものあい》

手《て》の製品《せいひん》なんて、手《て》がけたこともないけれど、できる人《ひと》がいないか探《さが》してくれることになった。

そして、意外《いがい》なことに、その人《ひと》は、簡単《かんたん》に見《み》つかった。

化工品材料開発部《かこうひんざいりょうかいはつぶ》の加藤部長《かとうぶちょう》。

さまざまなゴムの種類《しゅるい》についてくわしく、布《ぬの》や金属《きんぞく》との組《く》み合《あ》わせや加工《かこう》のスペシャリストだ。しかも、加藤部長《かとうぶちょう》はスポーツマンで、スキー、ゴルフ、カヌーなど、なんでもこなし、いまではウィンドサーフィンを趣味《しゅみ》にしている。ゴムのこと、海《うみ》のこと、水《みず》の流《なが》れのことについて知《し》っている。これ以上《いじょう》の適任者《てきにんしゃ》はいなかった。

ただ、問題《もんだい》は、加藤部長《かとうぶちょう》の時間《じかん》だった。

「冗談《じょうだん》でしょ。」

フジの話《はなし》をもちかけられて、加藤部長《かとうぶちょう》からさいしょに出《で》た言葉《ことば》だ。多《おお》くの部下《ぶか》をかかえて、研《けん》究《きゅう》に打《う》ちこんでいるのに、そんな時間《じかん》がとれるわけがない。

「むりですよ。」

けれど、世界《せかい》でだれもイルカの人工尾《じんこうお》びれをつくったことがない、という説明《せつめい》は、技術者《ぎじゅつしゃ》としてひかれるものがあったのだろう。

「話《はなし》を聞《き》くだけなら。」

できるかどうかは、わからない。けれど話《はなし》も聞《き》かずに「できない。」と言《い》うのは、技術者《ぎじゅつしゃ》としてのプライドがゆるさない。

加藤部長《かとうぶちょう》は、ぼくに会《あ》ってくれることになった。

二週間後《しゅうかんご》の十二月《がつ》。ぼくは東京《とうきょう》のドまんなかにいた。東京駅《とうきょうえき》からすぐの、ブリヂストンの本社《ほんしゃ》。

自慢《じまん》じゃないけれど、北海道《ほっかいどう》の大学《だいがく》を卒業《そつぎょう》してから、ずっと沖縄《おきなわ》の水族館《すいぞくかん》で働《はたら》いている。ふだんの仕事服《しごとふく》は、短《たん》パンにサンダルだ。今日《きょう》は、めいっぱいがんばってストライプのシャツに、ベージュのズボン姿《すがた》。それでも、背広姿《せびろすがた》の人《ひと》が行《ゆ》きかう東京《とうきょう》で、ぼくの姿《すがた》は浮《う》いている。

「なあ。やっぱり、ネクタイしてきたほうが、よかったんじゃないか？」

ラフな服装《ふくそう》のぼくは、となりにいる苫米地《とまべち》に聞《き》いてみる。

苫米地《とまべち》は、不安《ふあん》なぼくにつきあって、今日《きょう》はいっしょにきてくれたのだ。

「おまえ、そんなモン、持《も》っていないだろ。」

「貸《か》してくれたって、いいだろう。」

「それに、その金髪《きんぱつ》ちょんまげで、いまさらなに言《い》ってんだよ。」

苫米地《とまべち》は、あきれたように言《い》う。

ああ、そうか。ぼくは金髪《きんぱつ》ちょんまげだった。自分《じぶん》じゃ、ときどき忘《わす》れるのだ。

自分《じぶん》の顔《かお》なんて、朝《あさ》、歯《は》をみがくときぐらいしか見《み》ないし。

「それにしても、植田《うえだ》は、あいかわらずの鉄砲玉《てっぽうだま》だな。」

「なんだよ、それ。」

ぼくはちょっと、むっとする。

「バスケのときも、コートから飛《と》び出《だ》すボールを追《お》っかけて、突《つ》っ走《ぱし》っていただろ。」

「ああ？」

「ボールはちゃんと、コートにもどすくせに、おまえ、勢《いきお》いあまって壁《かべ》にどーん！」

そんなこともあったっけ。

「顔面強打《がんめんきょうだ》。」

「あれ、痛《いた》かったなー。」

ぼくは高校時代《こうこうじだい》のことを思《おも》い出《だ》して、ちょっとなつかしくなる。

「目《め》の前《まえ》のことに、一所懸命《いっしょけんめい》になるんだよな。」

「まわりが見《み》えていないって？」

「そ、あいかわらず。」

ぼくはもういちど、ビルを見《み》る。

「……やっぱり、大企業《だいきぎょう》のブリヂストンにたのむのなんて、むりなのかな。」

ここまできたけれど、急《きゅう》に不安《ふあん》になる。

「それは、おまえ次第《しだい》。」

「だからやっぱり、ネクタイしてきたほうが……。」

「ばーか。植田《うえだ》は、植田《うえだ》だからいいんじゃないか。いこうぜ。」

苫米地《とまべち》に言《い》われて、ビルの正面玄関《しょうめんげんかん》からはいる。

都会《とかい》の雰囲気《ふんいき》、きれいな受付《うけつけ》の女性《じょせい》がふたり。

緊張《きんちょう》する！

ぼくは、まだ、だれもいない応接室《おうせつしつ》にとおされた。

案内《あんない》された部屋《へや》は、大《おお》きな机《つくえ》がどん。りっぱなイスがどん、どん。

観葉植物《かんようしょくぶつ》が置《お》いてあって、これぞ一流企業《いちりゅうきぎょう》のオフィスという感《かん》じだ。

飼育日誌《しいくにっし》や、資料《しりょう》や、ウェットスーツがいろいろちらばっている、海獣課《かいじゅうか》の部屋《へや》とはちがう。

あきらかにちがう。

さらに緊張《きんちょう》してきた。

「お待《ま》たせしました。」

出《で》た。ブリヂストンの人《ひと》だ！

「沖縄美ら海水族館《おきなわちゅらうみすいぞくかん》の植田《うえだ》です！」

ぼくはアタマを思《おも》いきり下《さ》げる。つぎにアタマを上《あ》げたとき、見《み》えたものは、ぼくの金髪《きんぱつ》ちょんまげに固《かた》まっている、ブリヂストンの人《ひと》たちだった。

その顔《かお》には、あきらかに『これが獣医《じゅうい》か？』と書《か》いてある。

ほら！　だから、せめてネクタイしてきたほうが、よかったじゃないか！

ぼくはとなりにいる、苫米地《とまべち》を見《み》る。

苫米地《とまべち》は、知《し》らん顔《かお》してイスに座《すわ》ろうとしている。

あ、おい、こらっ！

「加藤《かとう》です。」

「斉藤《さいとう》です。」

すらりと背《せ》の高《たか》い加藤部長《かとうぶちょう》。ひとなつっこい笑顔《えがお》の斉藤《さいとう》さん。斉藤《さいとう》さんは、加藤部長《かとうぶちょう》が信頼《しんらい》している、スポンジ技術《ぎじゅつ》を専門《せんもん》にしている人《ひと》だ。

このふたりの技術者《ぎじゅつしゃ》と苫米地《とまべち》をふくめ、ブリヂストン側《がわ》はぜんぶで六人《にん》。

六対《たい》一。ケンカなら、ぜったいに負《ま》けている。

「どうぞ。」

イスをすすめられる。緊張《きんちょう》する。うまく説明《せつめい》できるだろうか。

ふと、苫米地《とまべち》と目《め》が合《あ》った。

『植田《うえだ》は、植田《うえだ》だから、いいんだ。おまえのままでいけ！』

目《め》が、そう言《い》っていた。

そうだ。うまくやろうとする必要《ひつよう》はない。

ぼくは、ぼくなのだ。そしてぼくのなかには、沖縄美《おきなわちゅ》ら海水族館《うみすいぞくかん》の飼育係《しいくがかり》、全員《ぜんいん》の思《おも》いがある。いまは、それを、そのまま伝《つた》えるだけだ。

せっかくもらえた時間《じかん》。ここでフジのことを知《し》ってもらえなければ、ブリヂストンに協力《きょうりょく》してもらえなければ、一生《いっしょう》、フジはあのままだ。

決心《けっしん》すると、大《おお》きく息《いき》をすいこんだ。

「まず、この写真《しゃしん》を見《み》てください。」

病気《びょうき》のときの、フジの尾《お》びれの写真《しゃしん》を見《み》せる。

半分以上白《はんぶんいじょうしろ》くなった尾《お》びれの先《さき》が、たよりなく丸《まる》まっている。

ブリヂストンの人《ひと》たちが、はっとしたように見《み》つめる。

「壊死《えし》の原因《げんいん》は、わかりません。この症状《しょうじょう》で、助《たす》かったイルカもいません。でも、手術《しゅじゅつ》をして、くさった部分《ぶぶん》を大《おお》きく切《き》り落《お》としたところ、壊死《えし》が止《と》まりました。」

つぎに、いまのフジの尾《お》びれの写真《しゃしん》を見《み》せる。

小《ちい》さな小《ちい》さな、うちわのような尾《お》びれ。とてもイルカの尾《お》びれとは思《おも》えない。

「尾《お》びれの七十五パーセントを切《き》り落《お》としました。この尾《お》びれで、フジは泳《およ》ぐことができません。ただ、浮《う》いています。毎日《まいにち》、毎日《まいにち》、浮《う》くだけなんです。」

イルカについて、フジについて、できるかぎりブリヂストンの人《ひと》たちに伝《つた》えた。

イルカは仲間《なかま》と集団《しゅうだん》で、生活《せいかつ》をする動物《どうぶつ》であること。

フジは子育《こそだ》てが上手《じょうず》な、お母《かあ》さんイルカであるということ。

だけど、泳《およ》げないフジは、ずっと毎日《まいにち》、ひとりぼっちでいること。

このままでは、食《た》べて浮《う》くだけの生活《せいかつ》になってしまうということ。

うまく説明《せつめい》できているかどうかなんて、わからない。

ただ、少《すこ》しでもブリヂストンの人《ひと》に、フジのことを知《し》ってほしかった。

もう夢中《むちゅう》だった。

「あの子《こ》を。」

思《おも》わず立《た》ち上《あ》がって、アタマを下《さ》げていた。

「あの子《こ》を助《たす》けたいんです。もういちど、仲間《なかま》と泳《およ》がせてあげたいんです！」

お願《ねが》いします。お願《ねが》いします！

短《みじか》い沈黙《ちんもく》のあと、加藤部長《かとうぶちょう》が、ぼくにたずねる。

「イルカの人工尾《じんこうお》びれなんて、ほかでもつくっているんですか？」

「いいえ。でもカメの手《て》びれはあります。サメに手《て》びれを食《た》べられたウミガメに、アメリカの『グッドイヤー』がつくりました。」

加藤部長《かとうぶちょう》たちが、身《み》を乗《の》りだすようにして話《はなし》を聞《き》いている。ライバル会社《がいしゃ》の名前《なまえ》が出《で》てきて、闘争心《とうそうしん》がかきたてられたのだろうか。

「でも、イルカはだれもつくったことがありません。」

その瞬間《しゅんかん》、加藤部長《かとうぶちょう》の表情《ひょうじょう》が変《か》わった。いままでだれもつくったことがない。『世界初《せかいはつ》』と聞《き》いて、魂《たましい》をゆさぶられない技術者《ぎじゅつしゃ》はいない。

「ですが……。」

ほかのブリヂストンの人《ひと》が言《い》う。

「私《わたし》たちは、タイヤやゴム製品《せいひん》をつくっている会社《かいしゃ》です。生《い》き物《もの》は経験《けいけん》がありません。」

「はい。」

「今日《きょう》は、お話《はなし》だけ、ということでしたので。つくるかどうかは、あらためてご連絡《れんらく》させていただきたいのですが。」

「そうですか。」

こんな無茶《むちゃ》な話《はなし》を聞《き》いてくれただけでも、感謝《かんしゃ》しなくちゃいけない。

「お時間《じかん》をいただき、ありがとうございました。」

そう言《い》うと、応接室《おうせつしつ》をあとにした。

ブリヂストンの本社《ほんしゃ》ビルを出《で》ると、雨《あめ》がふっていた。

空《そら》が、泣《な》いているみたいだ。

「なあ、苫米地《とまべち》、どうだったかなあ。」

はっきりとした返事《へんじ》がもらえなかった。それに、生《い》き物《もの》はダメだと言《い》っていた。

きっと、断《ことわ》られるんだろうな……。

「植田《うえだ》らしい説明《せつめい》だったよ。おまえ、高校《こうこう》のときと変《か》わっていないなあ。」

苫米地《とまべち》がほめているのか、なぐさめてくれているのか、わからなかった。東京駅《とうきょうえき》までの、ほんのわずかな距離《きょり》。雨《あめ》がやたらと冷《つめ》たく、感《かん》じられた。説明《せつめい》が、うまくできなかったのかもしれない。ぼくは、自分《じぶん》の無力《むりょく》さと、古網《こあみ》の期待《きたい》にこたえられなかったことに、落《お》ちこんでいた。

4　型取《かたど》り

「ブリヂストン、どうだったんですか？」

沖縄美《おきなわちゅ》ら海水族館《うみすいぞくかん》、海獣課《かいじゅうか》。

机《つくえ》に向《む》かって、書類《しょるい》を書《か》いていると、古網《こあみ》がとなりの席《せき》に座《すわ》る。

「検討《けんとう》してくれるって。」

ぼくはコンピュータのスイッチを入《い》れる。

「やっぱり、そうですよね。」

「なにがだよ。」

「まさか植田《うえだ》さんがほんとうに、東京《とうきょう》にいくとは思《おも》いませんでしたよ。ブリヂストンが一頭《とう》のイルカのために、人工尾《じんこうお》びれなんて、つくってくれるわけ、ないですよね。」

かちん。

どうしてそう、人《ひと》がいちばん言《い》われたくないことを、ずばずば言《い》うかな、この新人《しんじん》は。

「それはそうと、その机《つくえ》の上《うえ》を、なんとかしたほうがいいんじゃないのか?」

ぼくは話題《わだい》を変《か》えて、ちくり、と古網《こあみ》を攻撃《こうげき》した。

古網《こあみ》の机《つくえ》の上《うえ》は、書類《しょるい》がめちゃくちゃに山積《やまづ》みになっている。

ひどさは海獣課《かいじゅうか》のトップだ。

これでよく、必要《ひつよう》なものをなくさないもんだ。

ちなみに二番《ばん》は、ぼくだと言《い》われているけれど……。

「植田《うえだ》さん、このいちばん左《ひだり》の書類《しょるい》の山《やま》、植田《うえだ》さんのですよ。」

え? ぼくと古網《こあみ》の机《つくえ》はとなり同士《どうし》だ。書類《しょるい》が、いつのまにか移動《いどう》したらしい。

どうりで最近《さいきん》、ぼくの机《つくえ》の上《うえ》が、きれいだと思《おも》った、ははは。

「もどしますよ。それっ。」

古網《こあみ》が書類《しょるい》の山《やま》を、ぼくの机《つくえ》のほうに押《お》しもどそうとする。

「あっ、ちょ、ちょっと待《ま》て。こっちにも都合《つごう》というものが。」

ぼくは押《お》しかえして、書類《しょるい》がもどってこないようにする。

「なにが都合《つごう》ですか。国境《こっきょう》はまもってください。」

古網《こあみ》がぐーっと力《ちから》を入《い》れてくる。

「そんな、おい、ちょっと、あ……うわあっ！」

ばらばらばらーっ！　書類《しょるい》の山《やま》が、いっきにくずれおちた。

「あ……。」

古網《こあみ》が、やばい、という顔《かお》をする。

「古網《こあみ》ぃ、先輩《せんぱい》の書類《しょるい》をばらまいたな。」

こういうときは、先輩《せんぱい》を強調《きょうちょう》しておこう。

「す、すみませんっ！」

古網《こあみ》があわてて、床《ゆか》にちらばった書類《しょるい》を集《あつ》める。

「ちゃんと拾《ひろ》えよー。」

書類《しょるい》を古網《こあみ》に任《まか》せて、ぼくはコンピュータに向《む》きなおった。

電子《でんし》メールをチェックする。

「！」

メールボックスに『ブリヂストン』の文字《もじ》。

タイトルは『イルカの尾《お》びれ制作《せいさく》の件《けん》』。

きた！　あわてて、メールを開《ひら》く。イエスか、ノーか！　運命《うんめい》の分《わ》かれ道《みち》！

『植田様《うえださま》。昨日《さくじつ》は、ありがとうございました。』

それはいいから！

メールを、ナナメ読《よ》みしていく。

『どこまで、お役《やく》にたてるかはわかりませんが……。』

それでっ？

『イルカが元気《げんき》に泳《およ》ぎまわる姿《すがた》に対《たい》し……。』

え……？

『ぜひ、貢献《こうけん》できればと思《おも》っております。』

え？　え？　それって……！

「古網《こあみ》ーっ！」

「なんですか……いてっ！」

がつん、と、にぶい音《おと》がする。古網《こあみ》は机《つくえ》の下《した》で、書類《しょるい》を拾《ひろ》っていたのだ。

思《おも》いきり、机《つくえ》にアタマをぶつけていた。

「ブリヂストンから返事《へんじ》がきたぞ！」

「えっ？」

「協力《きょうりょく》してくれるって！」

「ええっ？　ほんとですか？　あのブリヂストンですよ？」

「最高《さいこう》の技術者《ぎじゅつしゃ》が、世界初《せかいはつ》に挑戦《ちょうせん》してくれるんだ。」

「うわ……やったあ。フジ、また泳《およ》げるようになるかもしれないんですね？」

「いい人工尾《じんこうお》びれをつくってもらえるよう、がんばろうな。これからいそがしくなるぞ。」

「はいっ！」

イルカの人工尾《じんこうお》びれ。

世界《せかい》ではじめてのプロジェクトが、はじまろうとしていた。


二〇〇三年《ねん》四月《がつ》。切除手術《せつじょしゅじゅつ》から五か月《げつ》。

手術《しゅじゅつ》のあと、フジの傷口《きずぐち》は少《すこ》しずつふさがり、さいごのかさぶたもとれた。

『完治《かんち》』。

フジの診断書《しんだんしょ》に、そう書《か》きこんだ。

獣医《じゅうい》としての、ひとつの仕事《しごと》が終《お》わった。

そしてここからは、フジのリハビリに向《む》けての、新《あたら》しい仕事《しごと》がはじまる。

そのころ、ブリヂストンでは加藤部長《かとうぶちょう》たちが、イルカの研究《けんきゅう》をはじめていた。とはいえ、加藤《かとう》部長《ぶちょう》は、イルカをテレビでしか見《み》たことがなく、あざらしのように、全身《ぜんしん》、毛《け》におおわれていると信《しん》じていたくらいだ。まずは、間近《まぢか》でイルカを見《み》てもらうところからはじめる。

東京《とうきょう》から近《ちか》い、横浜《よこはま》の八景島《はっけいじま》シーパラダイスに協力《きょうりょく》してもらい、本物《ほんもの》のイルカにさわってもらった。

「これ、『70度《ど》』くらいだね。」

「そうですね。」

ゴムには、硬《かた》さを示《しめ》す数字《すうじ》がある。硬《かた》いゴムほど、数字《すうじ》が大《おお》きい。

加藤部長《かとうぶちょう》と斉藤《さいとう》さんは、イルカの尾《お》びれにさわるなり、硬《かた》さを、たしかめていた。加藤部長《かとうぶちょう》ぐらいになると、耳《みみ》たぶをさわっただけで『20度《ど》』と、言《い》い当《あ》てられる。すごい技術《ぎじゅつ》だ。

人工尾《じんこうお》びれプロジェクトは、確実《かくじつ》に前進《ぜんしん》をはじめていた。


七月《がつ》になった。夏《なつ》の水族館《すいぞくかん》は、大勢《おおぜい》の人《ひと》でにぎわう。

とくに学校《がっこう》が休《やす》みの、土曜日《どようび》と日曜日《にちようび》は、子《こ》どもたちの声《こえ》がにぎやかだ。

そんな週末《しゅうまつ》に、ブリヂストンの加藤部長《かとうぶちょう》と、斉藤《さいとう》さんたちが、沖縄《おきなわ》にやってきた。きた。ついにきた。ほんとうに、フジの新《あたら》しい尾《お》びれが、つくられようとしている。

ぼくは感激《かんげき》していた。これまで電子《でんし》メールのやりとりはしていたけれど、それでも半分《はんぶん》、だまされているんじゃないかと思《おも》っていた。

でも、いま、ここには本物《ほんもの》の、ブリヂストンの技術者《ぎじゅつしゃ》の姿《すがた》がある。

ほんとうに、きてくれたのだ。

「すみません、週末《しゅうまつ》のいそがしいときにきて。」

汗《あせ》をふきながら、加藤部長《かとうぶちょう》が言《い》う。ふたりの服装《ふくそう》は、T《ティー》シャツに短《たん》パン。東京《とうきょう》で会《あ》ったときとちがって、親《した》しみがわく。ぼくは、加藤部長《かとうぶちょう》ではなく『加藤《かとう》さん』と呼《よ》ばせてもらうことにした。

ブリヂストンは、フジの人工尾《じんこうお》びれをつくってくれることになったけれど、条件《じょうけん》がついた。

加藤《かとう》さんも、斉藤《さいとう》さんも、自分《じぶん》の仕事《しごと》がある。だから休《やす》みの日《ひ》を使《つか》って、ボランティアということで、引《ひ》き受《う》けてくれたのだ。

加藤《かとう》さんたちは、今日《きょう》は休日《きゅうじつ》のはずだった。

「とんでもないです。こちらこそ、休《やす》みの日《ひ》にありがとうございます。」

さっそくみんなを、フジのいるプールに案内《あんない》する。

「海《うみ》のすぐそばなんですね。」

加藤《かとう》さんが、真《ま》っ青《さお》な海《うみ》をまぶしそうに見《み》ながら言《い》う。

「プールで使《つか》う水《みず》も、すぐそこから取《と》っているんです。フジが治《なお》ったのも、きれいな水《みず》をふんだんに使《つか》えたからです。」

これはほんとうだ。日本《にっぽん》にイルカのいる水族館《すいぞくかん》はたくさんある。でも、同《おな》じ水《みず》を消毒《しょうどく》しながらくり返《かえ》し使《つか》うところは多《おお》い。プールの水《みず》をぬいてから、いっぱいにするまで三日《みっか》もかかるようなところだってあるのだ。

でも、ここでは、満水《まんすい》までたった四十分《ぷん》。いちばん大《おお》きいプールでも、二時間《じかん》でいっぱいにできる。

毎日《まいにち》、水《みず》をぬいて、フジに十分《じゅうぶん》な治療《ちりょう》ができたのは、この水族館《すいぞくかん》が、沖縄《おきなわ》のきれいな海《うみ》のすぐそばにあるおかげだ。

「イルカショーのスタートでーす！」

ちょうど、オキちゃん劇場《げきじょう》プールのわきを通《とお》りかかったとき、イルカショーがはじまった。

イルカたちがいっせいに、豪快《ごうかい》なジャンプをする。

「ずいぶん高《たか》く、跳《と》ぶなあ。」

「元気《げんき》ですねえ。」

みんなが、うれしそうにイルカたちを見《み》つめる。

「見《み》ていきますか？」

「いえ、先《さき》にフジに会《あ》いましょう。」

「この先《さき》です。」

ぼくはオキちゃん劇場《げきじょう》のとなりにある、フジのいるプールに案内《あんない》した。

階段《かいだん》をのぼって、プールサイドに上《あ》がっていく。

「フジです。」

フジを紹介《しょうかい》したとたん、みんなの動《うご》きが止《と》まっていた。

ショーでジャンプするイルカとは、まったくべつの姿《すがた》がそこにあった。

小《ちい》さな、ほんとうに小《ちい》さな、尾《お》びれのフジがそこにいた。

ただ、浮《う》いている。

一日《にち》五回《かい》の食事《しょくじ》の時間《じかん》に、口《くち》を開《あ》けるだけ。

泳《およ》ぐことをあきらめて、八か月《げつ》。

その瞳《ひとみ》には、生《い》きようとする意志《いし》も気力《きりょく》もない。

そんなフジが、ぼんやりと、浮《う》いていた。

「いつも……。」

加藤《かとう》さんが、やっと声《こえ》を出《だ》す。

「こんな感《かん》じなんですか？」

「はい。しかも悪《わる》いことに。」

加藤《かとう》さんと斉藤《さいとう》さんが、ぼくを見《み》る。

「ほとんど動《うご》かないので、太《ふと》るんです。」

フジは、尾《お》びれを切《き》るまえにくらべ、かなり太《ふと》っていた。

「運動不足《うんどうぶそく》で太《ふと》り、コレステロールの値《あたい》が上《あ》がっています。このままでは、べつの病気《びょうき》で命《いのち》を落《お》としてます。」

水族館《すいぞくかん》にいれば、魚《さかな》は飼育係《しいくがかり》がくれる。

泳《およ》がなくても、口《くち》さえ開《あ》ければ生《い》きていくことはできるのだ。

けれど、運動不足《うんどうぶそく》は、フジの、もうひとつの深刻《しんこく》な問題《もんだい》だった。

「がんばりましょう。できるかぎりのサポートはします。」

加藤《かとう》さんは、なにかを決心《けっしん》したように、そう言《い》ってくれた。

「まず、さいしょに、人工尾《じんこうお》びれをつけるために、フジの尾《お》びれの型取《かたど》りをします。」

いよいよ、ブリヂストンが動《うご》きはじめた。

人工尾《じんこうお》びれは、この小《ちい》さな尾《お》びれに、クツをはかせるように装着《そうちゃく》する予定《よてい》だ。

人工尾《じんこうお》びれが合《あ》わないと、クツずれのようにすれて痛《いた》くなる。そのために型《かた》をとって、フジにぴったりのものをつくるのだ。

ショーの終了《しゅうりょう》を待《ま》って、フジが担架《たんか》に乗《の》せられ、クレーン車《しゃ》でつり上《あ》げられていく。

「もう少《すこ》し右《みぎ》！　もっと上《あ》げて！」

夏《なつ》の日差《ひざ》しのなかで、フジがプールから運《はこ》び出《だ》されていく。

プールサイドには、飼育係《しいくがかり》やスタッフが、全員《ぜんいん》、集《あつ》まっていた。

クレーンを操作《そうさ》する人《ひと》。

大声《おおごえ》で方向《ほうこう》を教《おし》える人《ひと》。

フジにホースで、水《みず》をかける人《ひと》。

担架《たんか》からフジが落《お》ちないよう、向《む》きを調整《ちょうせい》しながらまわりで作業《さぎょう》する人《ひと》たち。

みんなが、それぞれの担当《たんとう》を持《も》ち、手《て》ぎわよく、動《うご》いていく。

フジを、もういちど、泳《およ》がせるために。

プールのわきには、小《ちい》さな木《き》のワクがふたつ。

「このなかにパテを入《い》れて、フジの尾《お》びれをサンドイッチにして押《お》さえます。」

加藤《かとう》さんが、やりかたを説明《せつめい》してくれる。休《やす》みの日《ひ》に、いろいろ調《しら》べて、いちばんやりやすい型《かた》のとりかたを、考《かんが》えてくれていた。

「フジの体力《たいりょく》を考《かんが》えて作業時間《さぎょうじかん》を短《みじか》くしたい。つくったらすぐに固《かた》まるパテなんです。」

加藤《かとう》さんが、うすいピンク色《いろ》の、ねんどのようなパテの袋《ふくろ》をぼくにわたしながら、言《い》う。

「ということは、ぜんぶのパテを、一気《いっき》につくらないと、ダメですね。」

パテは、かなりの量《りょう》があった。

この人数《にんずう》で、だいじょうぶだろうか。

「手伝《てつだ》うわよ。」

うしろから声《こえ》がした。イルカショーの解説《かいせつ》をする女性《じょせい》スタッフが、ずらりと並《なら》んでいた。

「ほら、貸《か》して。」

ぼくの手《て》もとから、パテのはいった袋《ふくろ》を持《も》っていく。

つぎつぎに袋《ふくろ》を開《あ》けると、彼女《かのじょ》たちはいっせいに、パン生地《きじ》をこねるように練《ね》りはじめた。

「早《はや》く。フジが待《ま》っているわ。」

ありがとう、みんな。

「ああ、もう！　古網《こあみ》くん、おそすぎ。それ、貸《か》してみなさい。」

もそもそやっていた古網《こあみ》は、手《て》のなかにあったパテをとられていた。

「こっちの木《き》のワクの分《ぶん》は、完成《かんせい》！」

パテがどんどんと、木《き》のワクに押《お》しこまれている。

はやい！

フジの尾《お》びれの下側《したがわ》にあてる、パテのはいった木《き》のワクを受《う》け取《と》る。

「ゆっくり下《さ》げて！」

クレーンに向《む》かってさけぶ。

フジがゆっくりおりてくる。

ガーッ、ガーッ。エンジンの音《おと》がひびく。

クレーンが少《すこ》しずつ、木《き》のワクにフジの尾《お》びれがはいるよう、おりる位置《いち》を調整《ちょうせい》する。

フジはぴったりの位置《いち》におりてきた。

「オッケー！　はさむよ！」

こんどはフジの尾《お》びれの上《うえ》から、パテのはいった、もうひとつの木《き》のワクをかぶせる。

ちゃんと型《かた》がとれるよう、ぎゅっと自分《じぶん》の体重《たいじゅう》をかけて、押《お》さえつける。

加藤《かとう》さんが、いっしょになって押《お》さえつけてくれる。

「もう少《すこ》し、こっち。」

「手《て》をはさまないで。」

フジが尾《お》びれをふって、逃《に》げ出《だ》そうとあばれている。

そりゃそうだ。フジは、なにをされているのか、わかるはずがない。

「押《お》さえて！」

飼育係《しいくがかり》が、みんなでフジが動《うご》かないように押《お》さえる。

フジがあばれないよう、魚《さかな》で気《き》をそらそうとする人《ひと》。

体温《たいおん》が上《あ》がりすぎないよう、ホースで水《みず》をかけてあげる人《ひと》。

「だいじょうぶだから。」

古網《こあみ》がフジのカラダをなでている。

こわがらなくていいから。だいじょうぶだから。

「がんばって。」

解説《かいせつ》の女性《じょせい》スタッフが、祈《いの》るように見守《みまも》っている。

もういちど木《き》のワクが、フジの尾《お》びれをサンドイッチにしていることを、たしかめる。

「よし！」

小《ちい》さくつぶやくと、木《き》のふたをはずす。

「OK《オーケー》！　上《あ》げて！」

全員《ぜんいん》に、作業終了《さぎょうしゅうりょう》を伝《つた》える。

尾《お》びれが自由《じゆう》になったフジが、ばたばたとカラダを動《うご》かす。

クレーンのスタッフが、すばやくフジをつり上《あ》げていく。

早《はや》く、プールに、水《みず》のなかにもどしてあげたい。

フジがいなくなると、地面《じめん》には、小《ちい》さなふたつの木《き》のワクが残《のこ》された。

なかには、ピンク色《いろ》のパテが、フジの尾《お》びれのカタチに凹《へこ》んでいた。

上半分《うえはんぶん》と、下半分《したはんぶん》。

小《ちい》さな、うちわのカタチ。

「これをもとに、人工尾《じんこうお》びれをつくります。」

加藤《かとう》さんは、大切《たいせつ》そうに、その木《き》ワクを見《み》ている。

「加藤《かとう》さん。」

「はい？」

「人工尾《じんこうお》びれについて、リクエストがふたつ、あるんですが。」

「なんでも言《い》ってください。」

「ひとつは、フジの尾《お》びれを傷《きず》つけないこと。」

加藤《かとう》さんが、真剣《しんけん》な表情《ひょうじょう》でうなずく。

「完治《かんち》したとはいえ、フジの壊死《えし》の原因《げんいん》はわかりません。人工尾《じんこうお》びれで傷《きず》をつくり、そこからまた壊死《えし》させるわけには、いきません。」

うしろで古網《こあみ》が、心配《しんぱい》そうにぼくたちを見《み》つめていた。

古網《こあみ》は、もう二度《にど》と、フジにつらい思《おも》いをさせたくないのだ。

古網《こあみ》だけじゃない。ぼくだって、そしてここにいる全員《ぜんいん》だって、みんな同《おな》じ思《おも》いだ。

加藤《かとう》さんが、うなずく。

「もちろんです。フジに元気《げんき》に泳《およ》いでもらうための、人工尾《じんこうお》びれですからね。」

古網《こあみ》がほっとしているのがわかる。

「それともうひとつ。こわれないものをお願《ねが》いします。水《みず》のなかでこわれると、小《ちい》さなカケラ

を、イルカが飲《の》みこんでしまうんです。」

「食《た》べ物《もの》じゃなくても？」

加藤《かとう》さんが、ちょっとおどろいたように目《め》をまるくする。

「はい、好奇心《こうきしん》が強《つよ》いんです。目《め》の前《まえ》にあるものは『なんだろう。』と、口《くち》に入《い》れてしまうんです。」

「小《ちい》さな子《こ》どもみたいですね。」

ふふっと、加藤《かとう》さんは、やさしい笑顔《えがお》になる。

つられてぼくも、少《すこ》し笑《わら》う。

「ほんとうに。小《ちい》さな子《こ》どもです。わがままで、がんこで。とくにフジは。」

「フジは、がんこなんですか？」

「がんこですよ、大変《たいへん》ですよ、あのイルカ。水族館《すいぞくかん》のきもっ玉母《たまかあ》さんですからね。」

「きもっ玉母《たまかあ》さんですか。じゃあ、がんこなお母《かあ》さんに、気《き》に入《い》ってもらう人工尾《じんこうお》びれをつくらなくっちゃ。」

加藤《かとう》さんは、フジのいるプールをふりかえる。

「よろしくお願《ねが》いします。」

ぼくは加藤《かとう》さんに、アタマを下《さ》げる。

いよいよだ。待《ま》っていろよ、フジ！


「人工尾《じんこうお》びれかあ。」

古網《こあみ》が海獣課《かいじゅうか》の机《つくえ》にもどる。

先輩飼育係《せんぱいしいくがかり》の平子《ひらこ》さんが、ぼろぼろで、もう着《き》なくなったウェットスーツを切《き》っていた。

「あれ、平子《ひらこ》さん、なにやっているんですか？」

「古網《こあみ》。あのな。」

「はい？」

「イルカは、カラダにモノをくっつけられるのが、イヤなんだよ。」

平子《ひらこ》さんは、ウェットスーツを、幅《はば》の広《ひろ》いテープのように切《き》り出《だ》している。

「そうなんですか？　ミナミバンドウイルカのムク。吸盤《きゅうばん》で目《め》かくしをしても、だいじょうぶじゃないですか。」

「あれをつけてもらうのに、どれだけオレらが訓練《くんれん》したと思《おも》っているんだ。」

平子《ひらこ》さんが、ハサミを机《つくえ》に置《お》きながら言《い》う。

「はあ。」

「それに。」

「はい？」

「イルカにも性格《せいかく》があるだろう？」

「性格《せいかく》ですか。」

「訓練《くんれん》すれば吸盤《きゅうばん》をつけてくれるイルカ。ぜったいにいやがるイルカ。いろいろなんだ。」

古網《こあみ》はフジのがんこさを思《おも》い出《だ》して、気《き》が重《おも》くなった。

「フジは、人工尾《じんこうお》びれ、いやがりますかね？」

「どうだろうねえ。フジに聞《き》くわけにもいかないし。」

平子《ひらこ》さんは、テープが、輪《わ》をつくってとめられるように工夫《くふう》する。

「やっぱり、平子《ひらこ》さん、なんでもつくりますねえ。」

古網《こあみ》が、平子《ひらこ》さんの手《て》もとを、のぞきこむ。

平子《ひらこ》さんは水族館《すいぞくかん》で『平子工務店《ひらここうむてん》』と言《い》われるくらい、手先《てさき》が器用《きよう》なのだ。

ちょっとした小道具《こどうぐ》や、展示用《てんじよう》の棚《たな》など、必要《ひつよう》なものは、なんでもすぐにつくってしまう。

「よし、完成《かんせい》。」

テープを足《あし》に巻《ま》きつけて、感触《かんしょく》をたしかめている。

「それ、なんですか？」

「明日《あした》から、フジの異物装着訓練《いぶつそうちゃくくんれん》を、はじめるぞ。」

「異物《いぶつ》、訓練《くんれん》？」

「人工尾《じんこうお》びれを、フジが装着《そうちゃく》できるよう、まず、このテープから訓練《くんれん》だ。」

「そっか。少《すこ》しずつ、尾《お》びれにものを、つけられるようにするんですね。」

「人工尾《じんこうお》びれをつくってもらいました。でも、フジがいやがります。これじゃ、飼育係《しいくがかり》として恥《は》ずかしいからな。」

古網《こあみ》の表情《ひょうじょう》がぱーっと明《あか》るくなっていく。

「がんこイルカだから、大変《たいへん》だぞ。覚悟《かくご》しておけよ。」

「はいっ！」

5　さいしょの人工《じんこう》尾《お》びれ

型取《かたど》りをしてから二か月後《げつご》の九月《がつ》。机《つくえ》の上《うえ》の電話《でんわ》が鳴《な》った。

「はい、海獣課《かいじゅうか》。」

「総務《そうむ》です。植田《うえだ》さん、いますか？」

「植田《うえだ》ですけど。」

「荷物《にもつ》、届《とど》いていますよ。ブリヂストンから。」

ブリヂストンから！　フジの人工《じんこう》尾《お》びれだ！

いま、いきます！　ぼくは大《おお》あわてで総務《そうむ》に向《む》かった。

「おーい、届《とど》いたぞ！」

声《こえ》をかけると、飼育係《しいくがかり》が集《あつ》まってくる。

フタをとめてある、ガムテープをはずすのが、もどかしい。

箱《はこ》を開《あ》けると、黒《くろ》いゴムの尾《お》びれが、はいっていた。

「人工尾《じんこうお》びれだ……。」

ぼくは感激《かんげき》していた。ほんとうにつくってくれたんだ。

「ちょっと小《ちい》さめなんだな。」

飼育係《しいくがかり》のひとりが言《い》う。

人工尾《じんこうお》びれは、本物《ほんもの》よりも、ひとまわり小《ちい》さくつくってあった。

もう何《なん》か月《げつ》も泳《およ》いでいない、フジの体力《たいりょく》に合《あ》わせてある。

「カタチも……ちょっと、ちがう？」

三角形《さんかくけい》の見《み》なれないヘンなカタチ。

イルカの尾《お》びれとは、かなりちがう。

でも、ぼくには、カタチなんてどうでもよかった。

これは、世界《せかい》ではじめての、イルカの人工尾《じんこうお》びれなのだから。

「フジの尾《お》びれに、かぶせるんですか？」

古網《こあみ》が人工尾《じんこうお》びれのゴムのなかを、のぞきこむ。

「クツみたいに、はかせるんだ。」

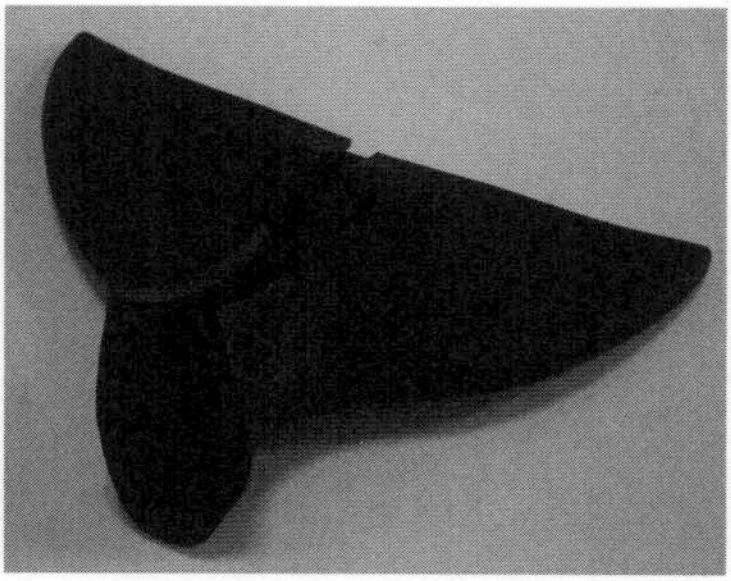

ぼくもいっしょに、のぞきこむ。なかには、スポンジがはってあった。

「古網《こあみ》。このスポンジは『モラン』っていってだな。」

「『モラン』、ですか？」

「斉藤《さいとう》さんが手《て》がける、ブリヂストンの技術《ぎじゅつ》の結晶《けっしょう》のような、高性能《こうせいのう》スポンジなんだ。」

「さすがブリヂストンですね！」

古網《こあみ》は、よくわかっていないみたいだけれど、とにかくよろこんでいる。

『フジの尾《お》びれが、直接《ちょくせつ》、ゴムにさわらないように。』

フジに傷《きず》をつけないように。加藤《かとう》さんと、斉藤《さいとう》さんが、工夫《くふう》してくれていた。

「この人工尾《じんこうお》びれを、クツみたいにはかせる。そして、足首《あしくび》にあたる部分《ぶぶん》を、ベルトでとめる、と。」

へえ〜。飼育係《しいくがかり》がいっせいに、うなずいている。

装着実験《そうちゃくじっけん》は、明日《あした》。ぼくはうれしくて、その日《ひ》は家《いえ》まで持《も》ち帰《かえ》った。抱《だ》きしめて眠《ねむ》りたかったけれど、寝返《ねがえ》りをうってこわすといけないから、やめた。

翌日《よくじつ》はブリヂストンの加藤《かとう》さんと斉藤《さいとう》さんが、第一号《だいいちごう》の装着《そうちゃく》を見届《みとど》けに、きてくれるはずだっ

た。けれど九月《がつ》の沖縄《おきなわ》は、台風《たいふう》の通《とお》り道《みち》。この週末《しゅうまつ》も台風《たいふう》が直撃《ちょくげき》して、飛行機《ひこうき》がぜんぶ、欠航《けっこう》してしまう。

くることができない加藤《かとう》さんたちのために、装着《そうちゃく》のようすをビデオに録画《ろくが》して、東京《とうきょう》に持《も》っていくことにした。

さっそく、フジのいるプールの水《みず》をぬく。

人工尾《じんこうお》びれを装着《そうちゃく》したあと、すぐに水《みず》を満《み》たせるよう、水《みず》はひざの高《たか》さにしてある。

フジのまわりに、飼育係《しいくがかり》が集《あつ》まり、フジを見守《みまも》っている。

人工尾《じんこうお》びれを持《も》った古網《こあみ》が、勢《いきお》いよくフジに近《ちか》づく。

ばしゃっ！

「うわ、水《みず》、かけられた〜。」

泳《およ》がないくせに、フジはこういうときは、反応《はんのう》がいいのだ。

きもっ玉母《たまかあ》さんは、気《き》に入《い》らない相手《あいて》には、あいかわらずきびしい。

「古網《こあみ》じゃ、まだ、むりだろう。」

貸《か》してごらん、と、飼育主任《しいくしゅにん》の外間《ほかま》さんが、人工尾《じんこうお》びれを受《う》け取《と》る。

外間《ほかま》さんは、大《だい》ベテランの飼育係《しいくがかり》だ。がんこなフジの性格《せいかく》を知《し》りつくしていて、上手《じょうず》にあつか

える。

「イルカって、人《ひと》の顔《かお》、見分《みわ》けるんですよね。」

古網《こあみ》が、ちょっとむくれて言《い》う。

「いやなヤツのことは、とくに覚《おぼ》えるらしいぞ。」

ぼくが答《こた》える。

獣医《じゅうい》であるぼくが、イルカにふれるときは、採血《さいけつ》や注射《ちゅうしゃ》のとき。

つまり、イルカに痛《いた》い思《おも》いをさせるときだけなのだ。

そうとうイルカにきらわれていると思《おも》う。こんなにイルカのことを思《おも》っているのに、なんだか、すごく損《そん》な役《やく》まわりの気《き》がする。

「ほら、フジ。」

外間《ほかま》さんが、フジに声《こえ》をかける。

「これは、こわくないよ。」

外間《ほかま》さんが、人工尾《じんこうお》びれをフジに見《み》せる。

こういうところは、ほんとうにうまい。

信頼《しんらい》している外間《ほかま》さんが、笑顔《えがお》で見《み》せれば、フジも安心《あんしん》するはずだ。

「ところで古網《こあみ》、異物装着訓練《いぶつそうちゃくくんれん》は、だいじょうぶなんだろうな？」

ぼくが聞《き》くと、古網《こあみ》が、となりでV《ブイ》サインを出《だ》す。

「ばっちりです。平子《ひらこ》さんの『ちょっとずつ作戦《さくせん》』のおかげで。」

平子《ひらこ》さんが、ぼくたちの話《はなし》を聞《き》いて、にかっと笑《わら》う。

「さいしょは、テープをタッチ。つぎにテープを巻《ま》いて泳《およ》がせる。そのあと『ふんどし』にして……。」

「ふんどし？」

「はい。『ふんどし』ですよ。知《し》りません？　おじいちゃんの、ジャパニーズパンツ。」

「知《し》っているよ、そのくらい。」

「『ふんどし』みたいな布《ぬの》をつくって、ちょっとずつ、フジの尾《お》びれにふれる部分《ぶぶん》を多《おお》くしていったんです。」

「それで『ちょっとずつ作戦《さくせん》』か。」

「でも、ぼくたちが心配《しんぱい》したほど、いやがりませんでしたよ。」

「フジは、きもっ玉母《たまかあ》さんだからな。」

ぼくはフジを見《み》る。

「平子《ひらこ》さんとぼくの、特訓《とっくん》の成果《せいか》を、見《み》てくださいよ、ほら！」

古網《こあみ》がうれしそうに言《い》った。

外間《ほかま》さんは、フジの尾《お》びれに、すんなりと人工尾《じんこうお》びれをかぶせていた。

フジは、あばれるようすもなく、じっとしている。

「なに、されているのか、わかるんですかね？」

古網《こあみ》が聞《き》く。

「わからないだろうなあ。異物訓練《いぶつくんれん》のつづきだと思《おも》っているんじゃないか？」

ぼくは外間《ほかま》さんに手《て》を貸《か》して、人工尾《じんこうお》びれをベルトでとめる。

装着《そうちゃく》、完了《かんりょう》。さあ、どうなる？

「水《みず》、入《い》れて！」

声《こえ》を合図《あいず》に、プールに海水《かいすい》がはいってくる。

ドドドーッ！

水《みず》しぶきをあげながら、少《すこ》しずつ、少《すこ》しずつ、水面《すいめん》が上《あ》がってくる。

「どうだ？」

全員《ぜんいん》がフジを見《み》つめる。フジはまだ、動《うご》かない。

見《み》つめられるのがイヤなのか、フジが動《うご》きはじめた。

くねくね……くねくね……。

「横《よこ》ふりだ……。」

古網《こあみ》が、がっかりしたように、つぶやく。

けれど、つぎの瞬間《しゅんかん》……！

「うわあ……！」

女性飼育係《じょせいしいくがかり》が、声《こえ》をあげる。

フジが尾《お》びれを上下《じょうげ》にふって、ドルフィンキックで泳《およ》ぎはじめたのだ。

「うそ！」

「やった！」

「泳《およ》いでいるぞ！」

みんなが笑顔《えがお》になり、つぎつぎに声《こえ》が出《で》る。

やった……！

ぼくはその光景《こうけい》を、ただ、感激《かんげき》しながら、見《み》ていた。

十か月《げつ》ぶりに見《み》る、フジのドルフィンキック。

フジは、尾《お》びれを上下《じょうげ》に動《うご》かして、必死《ひっし》に水《みず》を蹴《け》っていた。

そして、いままでの自分《じぶん》とはちがうことに、気《き》づいたはずだ。尾《お》びれを動《うご》かせば、ちゃんと前《まえ》に進《すす》むことに。

フジは、人工尾《じんこうお》びれをいやがることなく、水《みず》を蹴《け》りつづけている。

「そうだよ、フジ。泳《およ》げるんだ。思《おも》い出《だ》せ、泳《およ》げることを！」

ぼくは心《こころ》のなかで、言《い》いつづけていた。はじめての人工尾《じんこうお》びれは、大成功《だいせいこう》だった。

撮影《さつえい》したビデオを持《も》って、ぼくはすぐに東京《とうきょう》に向《む》かう。

一秒《びょう》でも早《はや》く、加藤《かとう》さんたちに見《み》てもらいたい。

会議室《かいぎしつ》で、ビデオが映《うつ》し出《だ》される。全員《ぜんいん》が、不安《ふあん》そうな顔《かお》をして、くいいるように画面《がめん》を見《み》つめている。

けれど、ばたばたと、水《みず》を蹴《け》るフジの姿《すがた》を見《み》ると、口《くち》もとがほころんでいく。

「ゴムの尾《お》びれをつけたら、重《おも》くて沈《しず》むんじゃないかと心配《しんぱい》していましたよ。」

「ぼくは、蹴《け》った瞬間《しゅんかん》に、背骨《せぼね》がばきっと折《お》れるんじゃないかと。」

ブリヂストンの人《ひと》たちが、ほっとしている。

生《い》き物《もの》を相手《あいて》に開発《かいはつ》することの『こわさ』『むずかしさ』を、全員《ぜんいん》が感《かん》じていた。

加藤《かとう》さんは、いつまでも画面《がめん》から、目《め》をはなさない。

「異物《いぶつ》をつけられるのをイヤがると聞《き》いていたので、大《おお》あばれして装着《そうちゃく》させてくれないと思《おも》っていました。」

信《しん》じられないものを見《み》たような表情《ひょうじょう》で、ようやく、声《こえ》を出《だ》す。

ほんとうは、半分《はんぶん》、あばれてくれるのを、期待《きたい》していたのだと。あばれてくれたら、もうこれ以上《いじょう》、やらなくてすむ。やらない決定《けってい》をするのは、フジだ。加藤《かとう》さんではない。そうなれば、どれだけ気《き》が楽《らく》だろう。

ぼくに会《あ》ってから、九か月《げつ》のあいだ、加藤《かとう》さんは、休日《きゅうじつ》はすべてフジのために使《つか》っていた。世界初《せかいはつ》は、お手本《てほん》になるものがまったくない。ゴムの種類《しゅるい》、ゴムの硬《かた》さ、大《おお》きさ、カタチ、装着方法《そうちゃくほう》……そのすべてをぜんぶ、自分《じぶん》たちで考《かんが》えていかなければならない。

ゼロの状態《じょうたい》から、ものをつくり出《だ》すむずかしさはそうとうなものだ。正直《しょうじき》、くたくただったにちがいない。

でも、加藤《かとう》さんは言《い》ってくれた。

「もっといい尾《お》びれをフジにつくりますよ。」

ここまできたら、技術者《ぎじゅつしゃ》として、ひきさがれない。世界初《せかいはつ》に挑戦《ちょうせん》するおもしろさを感《かん》じているようだった。

「問題《もんだい》は、装着方法《そうちゃくほうほう》ですかね。」

「ベルトを足首《あしくび》ならぬ、尾《お》びれのつけねに、ぐるりっと巻《ま》きつける。これだと、フジが泳《およ》ぎにくそうだな。」

「もう少《すこ》し、ベルト部分《ぶぶん》を、工夫《くふう》してもらいましょうか。」

飼育係《しいくがかり》の平子《ひらこ》さんが、古網《こあみ》といっしょに、人工尾《じんこうお》びれにさわっていた。平子《ひらこ》さんは、しきりと人工尾《じんこうお》びれのなかを見《み》ている。

「どうしました、平子《ひらこ》さん？」

ぼくがたずねる。

「うーん、どうも大《おお》きいんだよなあ。」

「大《おお》きい？」

「フジにはかせると、かぽかぽして、ゆるいんだよ。」

古網《こあみ》も、いっしょにのぞきこんでいる。

「でも、この内側《うちがわ》は、フジの尾《お》びれで型《かた》をとったんです。大《おお》きさは同《おな》じはずです。」

「そうだよな？　でも、大《おお》きいんだ。」

『平子工務店《ひらここうむてん》』こと、平子《ひらこ》さんの、ものを見《み》る目《め》はたしかだ。

「あのとき、フジがいやがりましたよね。」

ぼくは、フジの尾《お》びれの型取《かたど》り作業《さぎょう》のことを、思《おも》い出《だ》しながら言《い》う。

「ずいぶん、あばれて、尾《お》びれにも力《ちから》がはいっていましたね。」

古網《こあみ》も、そのときのようすをおぼえていて、うなずいている。

「フジが動《うご》いたぶん、ピンクのパテを押《お》し出《だ》したとか。こう、ぐらぐらやって、型《かた》が大《おお》きくなったんじゃないですか？」

ぼくは、手首《てくび》をぐらぐらと動《うご》かして、フジのようすを再現《さいげん》してみた。

「それだな。それで、型《かた》が大《おお》きくなって、人工尾《じんこうお》びれも、ぶかぶかになったんだ。」

「ぶかぶか、ですか？」

「ちょっと大《おお》きいなあ。」

平子《ひらこ》さんは、人工尾《じんこうお》びれを見《み》つめている。

「なかにスポンジの『モラン』を、いっぱい貼《は》ればだいじょうぶじゃないですか？」

古網《こあみ》が提案《ていあん》する。

「根本的《こんぽんてき》な解決《かいけつ》には、ならないだろう。」

平子《ひらこ》さんにぴしゃりと言《い》われて、古網《こあみ》が、しゅん、とする。

「もう一回《かい》、型《かた》をとってみるか？」

と、平子《ひらこ》さん。

「でも、きっとフジはまた、いやがりますよ。」

と、ぼく。

「根本的《こんぽんてき》な解決《かいけつ》には、なりませんねえ。」

と、古網《こあみ》が言《い》って、平子《ひらこ》さんに、アタマをはたかれた。

「あたた……。平子《ひらこ》さんは器用《きよう》なんですから、そういうの、ちょこっと直《なお》せないんですか？」

古網《こあみ》がアタマをさすりながら言《い》う。

「おまえね。そんな、彫刻家《ちょうこくか》みたいなこと、オレができるわけないだろう。」

彫刻家《ちょうこくか》か。彫刻家《ちょうこくか》ねえ。

中学校《ちゅうがっこう》のとき、音楽室《おんがくしつ》に『ベートーベン』の石《せっ》こう像《ぞう》があった。

あれは、本人《ほんにん》に似《に》ているのだろうか。

つくる人《ひと》は、見《み》たものを同《おな》じカタチにつくれるのだ。特殊能力《とくしゅのうりょく》だな。そんな人《ひと》だったら、フジの尾《お》びれも、同《おな》じものがつくれるのだろうか。

そういう人《ひと》か、そういう……。

「どうした、植田《うえだ》？」

「いた！」

「は？」

「いますよ、彫刻家《ちょうこくか》。」

「そんな知《し》り合《あ》いが、いるのか？」

「イルカをモチーフにして、作品《さくひん》をつくる人《ひと》がいるんです。いちど、水族館《すいぞくかん》にきてくれたことがある。彼《かれ》にたのめないですかね？」

「いい。それ、いいですよ、植田《うえだ》さん！」

古網《こあみ》がイスから立《た》ち上《あ》がりながら言《い》う。

「ああ、その人《ひと》、やってくれたら、ばっちりだなあ。」

平子《ひらこ》さんも、賛成《さんせい》だ。

「連絡《れんらく》してみます！」

大阪《おおさか》にすむ、造形作家《ぞうけいさっか》の薬師寺《やくしじ》さんは、ぼくが連絡《れんらく》すると、すぐに引《ひ》き受《う》けてくれた。

「まえに、すごく悩《なや》んでいたときにね、イルカが助《たす》けてくれたことがあるんだ。」

薬師寺《やくしじ》さんは、つづけた。

「だから、やっと恩返《おんがえ》しできる。ぜひ、手伝《てつだ》わせてほしい。」

そう言《い》って、すぐに沖縄《おきなわ》にやってきてくれた。

ぼくと同《おな》い年《どし》。人気《にんき》の韓国俳優《かんこくはいゆう》みたいな、やさしい顔立《かおだ》ちだ。

薬師寺《やくしじ》さんに、ブリヂストンがつくった『フジの尾《お》びれの模型《もけい》』をわたす。

小《ちい》さな、うちわのようなカタチ。

これが、ほんとうは、フジの尾《お》びれと、まったく同《おな》じでなければいけないのだ。

「フジの尾《お》びれの型《かた》をとって、それをもとにつくった『模型《もけい》』です。」

薬師寺《やくしじ》さんは、ひと目見《めみ》ただけで、本物《ほんもの》のフジとちがうことが、わかったようだった。

「厚《あつ》みがありすぎる。型《かた》をとるとき、上下《じょうげ》にフジが動《うご》いたようだね。」

そのとおりだった。左右《さゆう》ではなく、上下《じょうげ》に大《おお》きいのだ。

「この『模型《もけい》』から、人工尾《じんこうお》びれをつくります。だから、これが正確《せいかく》にフジと同《おな》じものじゃない

と、フジに合《あ》う、いい人工尾《じんこうお》びれはできないんです。」

薬師寺《やくしじ》さんは、自信《じしん》にあふれる目《め》をして、にっこり笑《わら》うと言《い》った。

「まかせておいて。」

プールサイドに薬師寺《やくしじ》さんがいく。

古網《こあみ》が、魚《さかな》のはいったバケツを持《も》って、フジを呼《よ》ぶ。

「人工尾《じんこうお》びれをつけないと、横《よこ》にカラダをふるんです。」

くねくねと泳《およ》いでくる、フジのようすを、古網《こあみ》が薬師寺《やくしじ》さんに説明《せつめい》する。

「人工尾《じんこうお》びれは、毎日《まいにち》、つけているの？」

「はい。でも、一日《にち》十五分《ふん》くらいです。スレて傷《きず》をつくるのがこわいので。」

フジに合《あ》わない人工尾《じんこうお》びれでは、とくにむりはできない。

「きっと、いい人工尾《じんこうお》びれができるから。」

薬師寺《やくしじ》さんが、フジを見《み》つめる。

きげんがいいのか、薬師寺《やくしじ》さんを気《き》に入《い》ったのか。

フジはプールサイドにくると、自分《じぶん》の尾《お》びれを、おとなしく薬師寺《やくしじ》さんに、さわらせていた。

薬師寺《やくしじ》さんは、なんども、なんども、フジにふれる。

やさしそうな指《ゆび》が動《うご》いて、フジの尾《お》びれを記憶《きおく》していく。

見《み》るだけでなく、さわった感覚《かんかく》を、指《ゆび》に残《のこ》していくのだ。

薬師寺《やくしじ》さんが、プールサイドからはなれて、机《つくえ》に向《む》かう。

指《ゆび》に残《のこ》った感触《かんしょく》を、目《め》の前《まえ》にある石《せっ》こうで再現《さいげん》していく。

石《せっ》こうを、彫刻刀《ちょうこくとう》で削《けず》り出《だ》して、フジと同《おな》じカタチにつくっていくのだ。

しばらくすると、もういちど、フジの尾《お》びれをさわりにいく。

石《せっ》こうを削《けず》る。

フジの尾《お》びれをさわる。

そのくりかえしだった。なんども、なんども。

ほんとうになんども、薬師寺《やくしじ》さんはプールサイドに立《た》ち、フジの尾《お》びれのカタチを、完全《かんぜん》に再《さい》現《げん》しようとしていた。

「できた！」

まる三日《みっか》。ほとんどまともに食事《しょくじ》もせずに、三日間《みっかかん》。薬師寺《やくしじ》さんは『完璧《かんぺき》なフジの尾《お》びれの模《も》型《けい》』を完成《かんせい》させてくれた。

「すげーっ！」

古網《こあみ》は、できあがった『完璧《かんぺき》な模型《もけい》』を見《み》て、興奮《こうふん》している。

「ゴッドハンドですよね。神《かみ》の手《て》。こういうの、できる人《ひと》、いるんですね。」

まったくだ。それに薬師寺《やくしじ》さんの集中力《しゅうちゅうりょく》にも、おどろかされる。

「早《はや》く仕上《しあ》げないと。フジが待《ま》っているから。」

薬師寺《やくしじ》さんは、古網《こあみ》がよろこぶのを見《み》て、うれしそうに笑《わら》っていた。

「ところで植田《うえだ》くん。」

「はい？」

「これ、第一号《だいいちごう》の人工尾《じんこうお》びれ？」

「そうですけれど。」

「……ゆるせないな。」

薬師寺《やくしじ》さんは、むーっとした顔《かお》をしている。

「あの……ゆ、ゆるせないとは？」

古網《こあみ》が、おそるおそる、薬師寺《やくしじ》さんの顔《かお》を見《み》る。

「このゴムのかたまりが、イルカの尾《お》びれとは。」

そりゃ、たしかに三角形《さんかくけい》のゴムのかたまりに見《み》えるけれど……。

「天下《てんか》のブリヂストンが、これで人工尾《じんこうお》びれですと、言《い》っている場合《ばあい》じゃないだろう。」

いや、まだ第《だい》一号《ごう》だし、さいしょからそこまでは……。

「これじゃあ、トップアスリートに、長《なが》ぐつをはかせているようなもんだ！」

な、長《なが》ぐつですか？

「そう、長《なが》ぐつ。これじゃ、泳《およ》げるものも、泳《およ》げないよ。」

薬師寺《やくしじ》さんの作品《さくひん》には、イルカが生《い》き生《い》きと泳《およ》ぐ姿《すがた》が表現《ひょうげん》されている。

そんな彼《かれ》にしてみれば、この人工尾《じんこうお》びれは、ゆるせないんだろう。

薬師寺《やくしじ》さんは、やさしい顔《かお》とは対照的《たいしょうてき》に、めちゃくちゃ熱《あつ》い人《ひと》だったのだ。

「植田《うえだ》くん。」

はい？

「ぼくにも人工尾《じんこうお》びれを、つくらせてくれないか。」

えっ？　いや、そういうわけには！

「ブリヂストンのジャマをするつもりはない。ただ、もっとイルカの美《うつく》しさ、すばらしさを、わかってほしいんだ。」

この熱《あつ》さ。この情熱《じょうねつ》。ぼくが止《と》めて、止《と》まるんだろうか？

「フジが、早《はや》く元気《げんき》に泳《およ》げることを、祈《いの》っているよ。」

そう言《い》って、薬師寺《やくしじ》さんは大阪《おおさか》へ帰《かえ》っていった。

6 改良《かいりょう》

造形作家《ぞうけいさっか》の薬師寺《やくしじ》さんのおかげで『フジの尾《お》びれの模型《もけい》』が完璧《かんぺき》になった。

これで、ブリヂストンも安心《あんしん》して、改良《かいりょう》にとりくみはじめた。

第一号《だいごう》の『長《なが》ぐつ型《がた》』につづいて、第二号《だいごう》のアイディアを探《さが》しはじめる。

さすがにブリヂストンも、『長《なが》ぐつ』のままでは、ダメだと思《おも》っていたらしい。

こんどはもっと、大《おお》きさもカタチも、本物《ほんもの》のイルカに近《ちか》いものにしようということになった。

「生《い》き物《もの》のカタチには、ぜんぶ意味《いみ》があるんです。」

電話《でんわ》から、ブリヂストンの加藤《かとう》さんの声《こえ》がする。

イルカの尾《お》びれは、速《はや》く泳《およ》げるように、何万年《なんまんねん》もかけて進化《しんか》している。やはり、本物《ほんもの》がいちばん使《つか》いやすいはずだというのだ。

「ただ、我々《われわれ》には、本物《ほんもの》のカタチ、というのが、よくわからなくて。」

むりもない。ふだんの加藤《かとう》さんは、クルマとか、エンジンとか、機械《きかい》を相手《あいて》に仕事《しごと》をしているのだ。生き物《いもの》、しかもイルカなんて、まったくの専門外《せんもんがい》だ。

「加藤《かとう》さん。死《し》んだイルカの尾《お》びれなら、あるんですが、お役《やく》にたちませんか？」

「死《し》んだ……イルカですか？」

「尾《お》びれだけ、ホルマリンの液《えき》につけて、保存《ほぞん》してあるんです。」

「植田《うえだ》さん、それ、貸《か》してもらえますか？」

加藤《かとう》さんの声《こえ》が、急《きゅう》に明《あか》るくなる。

「ブリヂストンには、3D《スリーディー》で立体的《りったいてき》にものを測《はか》れる機械《きかい》があるんです。そのホルマリンづけの尾《お》びれを、長《なが》さ、はば、厚《あつ》さ、すべてをデータにする。そうすれば、同《おな》じものをつくることができますよ！」

よかった。

電話《でんわ》を切《き》る。さっそく、標本倉庫《ひょうほんそうこ》に向《む》かった。

奥《おく》のほうに保存《ほぞん》されていた、ホルマリンづけの尾《お》びれを見《み》つめる。

それは、フジと仲《なか》のよかった、バンドウイルカのトクの尾《お》びれだった。

「なにしているんだ、植田《うえだ》？」

「あ、外間《ほかま》さん。」

ぼくは、ブリヂストンとのやりとりを、飼育主任《しいくしゅにん》の外間《ほかま》さんに説明《せつめい》した。

「へえ、トクの尾《お》びれが、役《やく》にたつのか。」

外間《ほかま》さんは、トクの尾《お》びれを運《はこ》び出《だ》すのを、手伝《てつだ》ってくれる。

「なんだか、運命《うんめい》を感《かん》じますね。」

「そうだな。」

外間《ほかま》さんは、トクが、子《こ》イルカを産《う》んだときのことを、思《おも》い出《だ》しているようだった。

忘《わす》れることができないできごとだった。

カラダの弱《よわ》かったトク。そのトクがお母《かあ》さんになった。

でも、子《こ》イルカを産《う》んだあと、トクは、いっしょに泳《およ》ぐことをしなかった。

プールに取《と》り残《のこ》された、生《う》まれたばかりの小《ちい》さなイルカ。

そんなとき、フジがきたんだ。

フジが、子《こ》イルカのそばに、すーっと寄《よ》ってきて、いっしょに泳《およ》ぎはじめた。

そして、お乳《ちち》まであげはじめた。

信《しん》じられなかった。ほかのイルカが産《う》んだ子《こ》どもに、おっぱいをあげている。

トクが子《こ》イルカと泳《およ》ぐようになるまで、フジは一か月以上《げついじょう》、子《こ》イルカを育《そだ》てた。

フジ。イルカにはやさしい、仲間思《なかまおも》いのフジ。

「あれは、感動《かんどう》したな。」

外間《ほかま》さんが、トクの尾《お》びれを見《み》つめながら言《い》う。

「あんなことも、あるんですね。」

ぼくも、尾《お》びれを見《み》つめる。

「トクの、恩返《おんがえ》しだな。」

そうですね。ぼくは、うなずいた。

トクの恩返《おんがえ》し。子育《こそだ》て上手《じょうず》のフジが、また子《こ》イルカたちと泳《およ》げるように。

子《こ》どもを育《そだ》ててくれた、そのお礼《れい》に、トクが自分《じぶん》の尾《お》びれを残《のこ》したような気《き》がした。

「植田《うえだ》さん、すみません。ちょっとお願《ねが》いします。」

古網《こあみ》から声《こえ》がかかる。なんだかようすがへんだ。

「どうした。」

「フジが。」

プールサイドにいくと、平子《ひらこ》さんが、フジの尾《お》びれを持《も》ちあげていた。

「ちょっと、張《は》りきりすぎたかねえ。」

フジの尾《お》びれに、かすかにスリ傷《きず》ができていた。

「すみませんっ。」

古網《こあみ》がアタマを下《さ》げる。

「フジに早《はや》く、人工尾《じんこうお》びれに、慣《な》れてほしかったんだよな。」

平子《ひらこ》さんが、古網《こあみ》をかばうように言《い》う。

「すみません。今日《きょう》は少《すこ》し、長《なが》くつけていて……。」

人工尾《じんこうお》びれの装着《そうちゃく》は、一日《にち》十五分《ふん》と決《き》めていた。けれど、フジに、早《はや》く泳《およ》げるようになってほしい。人工尾《じんこうお》びれに、慣《な》れてほしい。古網《こあみ》は少《すこ》し、がんばりすぎたみたいだ。

「だいじょうぶだって。これなら消毒《しょうどく》しておけば、治《なお》るから。」

「あの、またくさったりしませんか？」

古網《こあみ》が不安《ふあん》そうに、ぼくの顔《かお》をのぞきこむ。

「それは、わからないなあ。」

ちょっと、意地悪《いじわる》く、答《こた》えてみる。

「えっ！」

古網《こあみ》は、まじめに落《お》ちこんだ。ほんとうに、わかりやすい、こいつの性格《せいかく》は。

さいわい、スリ傷《きず》は、すぐに治《なお》った。

でも、翌日《よくじつ》から、少《すこ》しフジの反応《はんのう》がちがっていた。

「人工尾《じんこうお》びれを持《も》っていくと、プールサイドにこないんです。」

古網《こあみ》が、暗《くら》ーく報告《ほうこく》する。

「『人工尾《じんこうお》びれは痛《いた》い。』って思《おも》うようになっちゃったんですかね。」

古網《こあみ》の落《お》ちこみ方《かた》は、かなりひどかった。

「外間《ほかま》さんや、平子《ひらこ》さんが呼《よ》んでもダメなのか？」

「だめですね。魚《さかな》のバケツを見《み》せると、近《ちか》くにくるんですが。人工尾《じんこうお》びれを見《み》せると、すぐに遠《とお》くに、泳《およ》いでいっちゃって。」

「どうするんだ？　もうすぐ新型《しんがた》の人工尾《じんこうお》びれを持《も》って、ブリヂストンがくるぞ？」

「はあ。なんとかしてもらいます。」

「してもらいます、だと？　自分《じぶん》で、しろよ。」

「だって、フジはぼくのことは、ぜんぜん信用《しんよう》していなくて……。」

「あきらめるなよ。信用《しんよう》してもらえ。」

「はあ。」

古網《こあみ》は、どよーんと落《お》ちこんだまま、いってしまった。

がんばれよ、新人《しんじん》。


二〇〇四年《ねん》三月《がつ》、ブリヂストンが、新《あたら》しい人工尾《じんこうお》びれを持《も》ってやってきた。

新《あたら》しいタイプは、トクの尾《お》びれを使《つか》ってデザインされている。『長《なが》ぐつ型《がた》』

とは、まったくちがう。本物《ほんもの》のイルカと同《おな》じカタチだった。

装着方法《そうちゃくほうほう》も、変《か》わっていた。細《ほそ》い二本《ほん》のベルトを、クロスしてはめる『クロスバンド型《がた》』。これなら、フジの泳《およ》ぎも自由《じゆう》になるはずだ。

外間《ほかま》さん、平子《ひらこ》さん、そして古網《こあみ》の三人《にん》が、プールサイドでフジを呼《よ》ぶ。

けれど、フジは、人工尾《じんこうお》びれをいやがって、まったくプールサイドにこようとしない。

「おい、なんとかしろよ。」

古網《こあみ》にこそっと言《い》う。

「なんとかって、フジがこないんですから。」

古網《こあみ》がこそっと、言《い》い返《かえ》す。

「すみません、水《みず》をぬいて装着《そうちゃく》させてください。」

外間《ほかま》さんが、プールの水《みず》をぬくことを決《き》めた。水《みず》のないプールで、フジの動《うご》きを止《と》めて装着《そうちゃく》させるのだ。

外間《ほかま》さんは、フジを呼《よ》ぶことができない自分《じぶん》たちに、いらだっているようだった。

水《みず》をぬかれたプールで、フジが『クロスバンド型《がた》』を装着《そうちゃく》する。

二本《ほん》のベルトは、簡単《かんたん》にとめることができた。

フジが泳《およ》ぎはじめる。あいかわらず、くねくねと泳《およ》ぐけれど、人工尾《じんこうお》びれをつけると、ドルフィンキックをはじめた。

「うわ、やわらかいなあ。」

ブリヂストンの加藤《かとう》さんは、フジの泳《およ》ぎを見《み》るなり、がっかりした声《こえ》を出《だ》す。

ゴムがやわらかすぎて、フジが水《みず》を蹴《け》るたびに、ぐにゃぐにゃと曲《ま》がっているのだ。

「ゴムの硬《かた》さを、二種類《しゅるい》、用意《ようい》したんですが。」

でも、硬《かた》いほうのゴムも、フジの水《みず》を蹴《け》る力《ちから》に負《ま》けていた。

「やわらかすぎて、なんど蹴《け》っても、前《まえ》に進《すす》まない感《かん》じですね。」

「ほかのイルカは、二、三回《かい》、キックしたら、すーっと前《まえ》に進《すす》むんですが。」

フジは、じたばたと、なんども水《みず》を蹴《け》りつづけている。

それでも、なかなか前《まえ》に進《すす》まない。

「もう少《すこ》し、硬《かた》いほうがいいのかな。」

「ベルトの部分《ぶぶん》も、水《みず》の抵抗《ていこう》がありそうですね。」

フジの泳《およ》ぎを見《み》ながら、みんなで意見《いけん》を出《だ》し合《あ》う。

「あのう。」

ぼくは迷《まよ》っていたけれど、思《おも》いきって言《い》ってみた。

「もし、よければ、この人工尾《じんこうお》びれをテストしてもらえませんか？」

それは、造形作家《ぞうけいさっか》の薬師寺《やくしじ》さんが『ポリカーボネイト』という強化《きょうか》プラスチックでつくった、人工尾《じんこうお》びれだった。

「ぼくにもつくらせてほしい。」

そう言《い》った薬師寺《やくしじ》さんは、ほんとうにつくってしまったのだ。

大阪《おおさか》にもどったあと、作品《さくひん》もつくらずに、これを仕上《しあ》げていたらしい。

「きれいだな……。」

思《おも》わず、ブリヂストンの人《ひと》が口《くち》に出《だ》す。

そう、それはほんとうに、きれいなカタチをしていた。

薬師寺《やくしじ》さんは、『フジの尾《お》びれの模型《もけい》』をつくったときに、フジの子《こ》どもたちの尾《お》びれにもさわっていた。

「イルカは、それぞれ、尾《お》びれや背《せ》びれのカタチがちがうんだ。フジの子《こ》どもたちは、まるいカーブを描《えが》いた尾《お》びれをしているんだよ。」

薬師寺《やくしじ》さんは、そう言《い》っていた。プラスチックの人工尾《じんこうお》びれは、フジの子《こ》どもたちの尾《お》びれと、まったく同《おな》じカタチだった。

しかも、『ポリカーボネイト』の人工尾《じんこうお》びれは白《しろ》く、半透明《はんとうめい》。その美《うつく》しさは、まさに『作品《さくひん》』だった。

「この素材《そざい》はなんですか？」

加藤《かとう》さんがたずねる。

「『ポリカーボネイト』という、飛行機《ひこうき》の窓《まど》にも使《つか》われるほどの強化《きょうか》プラスチックです。割《わ》れません。」

そして、なによりも装着方法《そうちゃくほうほう》が、すごかった。

『ポリカーボネイト』が、かぱっと、貝《かい》のように開《ひら》く。そこにフジの尾《お》びれをはさみこむのだ。

「すごいな。」

ブリヂストンの人《ひと》たちが、びっくりして見《み》ている。

「泳《およ》ぎを、ぜひ、見《み》たいですね。」

加藤《かとう》さんが、言《い》う。さっそくフジにつけてもらう。

「泳《およ》ぎやすそうですね。」

人工尾《じんこうお》びれの外側《そとがわ》に、ベルトがない薬師寺《やくしじ》さんの『シェル（＝貝《かい》）型《がた》』は、水《みず》の抵抗《ていこう》がほとんどない。フジは、ほかのイルカたちと同《おな》じように、気持《きも》ちよさそうに泳《およ》ぎつづけている。

「ちょっと硬《かた》いんですが。」

薬師寺《やくしじ》さんは、できるだけうすくつくってくれたのだけれど、それでも『ポリカーボネイト』は硬《かた》く、本物《ほんもの》のイルカのようには、まがらなかった。

まっすぐ泳《およ》ぐときは、よかった。ただ、向《む》きを変《か》えるときは、フジの動《うご》きが、もたもたっとする。

「ゴムでは、やわらかすぎる。『ポリカーボネイト』では硬《かた》すぎる。でも、この泳《およ》ぎやすさを見《み》

ると、ゴムももっと硬《かた》くしてよさそうですね。」

加藤《かとう》さんは、なにかヒントを得《え》たようだった。

「ゴム部分《ぶぶん》のなかに、芯《しん》を入《い》れたらどうかな。」

そして、もうひとつ。

『シェル型《がた》』の装着《そうちゃく》のしやすさも、ブリヂストンの人《ひと》たちを、おおいに刺激《しげき》していた。

薬師寺《やくしじ》さんの、イルカへの思《おも》いがこめられた『作品《さくひん》』が、ブリヂストンの技術者魂《ぎじゅつしゃだましい》に、火《ひ》をつけていた。


「恥《は》ずかしいぞ！」

ブリヂストンが東京《とうきょう》へ帰《かえ》っていったあと。外間《ほかま》さんが、平子《ひらこ》さんと古網《こあみ》を呼《よ》んで、ミーティングしていた。

「せっかくブリヂストンが、人工尾《じんこうお》びれをつくってくれているのに。かんじんのフジが、人工尾《じんこうお》びれをいやがるようじゃ、飼育係《しいくがかり》として恥《は》ずかしい。」

下《した》を向《む》く平子《ひらこ》さん。

古網《こあみ》は、さいしょから、フジはあつかえないと、あきらめているみたいだ。

そこへ、海獣課《かいじゅうか》の宮原課長《みやはらかちょう》がきた。そしていきなりこう言《い》った。

「古網《こあみ》。」

「はい。」

「フジの訓練《くんれん》を担当《たんとう》しろ。」

「えっ、ぼくですか？　むりですよ。」

「なにがむりか。」

「だって、外間《ほかま》さんの言《い》うことしかきかない、がんこイルカですよ？」

「だから、おまえが、言《い》うことききかせてみろ。」

「いや、だから、あの。」

「人工尾《じんこうお》びれプロジェクトが、うまくいくよう、おまえが先頭《せんとう》きっていけ！」

「え……は、はい。」

古網《こあみ》が、ぼくのとなりの机《つくえ》にもどってくる。

「なんか言《い》われた？」

「まいりましたよ。」

「どうした？」

「フジを訓練《くんれん》しろって。」

「へえ?」

「むりですよ。あんながんこなイルカ。今日《きょう》だって、ぜんぜん言《い》うことききかないし。」

「で?」

「宮原課長《みやはらかちょう》が、ぼくが先頭《せんとう》きって、やれって。」

古網《こあみ》は、うれしそうだった。そして、ぽつりと言《い》った。

「はじめて、担当《たんとう》、もらいました。」

新人《しんじん》としてはいってきて、いままで餌切《えさき》りと、プールそうじが、仕事《しごと》だった。

その古網《こあみ》に、はじめて、担当《たんとう》イルカができた。

アシストとして、言《い》われたことをやるのではない。トレーニングをぜんぶ、まかされたのだ。

「やったじゃん。」

ぼくは古網《こあみ》をつつく。

「え、へへ。はい。」

古網《こあみ》は、ずっと、うれしそうに笑《わら》っていた。

7　古網《こあみ》とフジ

翌日《よくじつ》から、フジと古網《こあみ》の特訓《とっくん》がはじまった。

人工尾《じんこうお》びれをこわがるフジに、受《う》け入《い》れてもらう。

こんどブリヂストンがくるときは、きちんと装着《そうちゃく》できるようにする。

古網《こあみ》の目標《もくひょう》ができた。人工尾《じんこうお》びれを持《も》って、プールサイドに立《た》つ。

「こわくないよ。」

先輩飼育係《せんぱいしいくがかり》の外間《ほかま》さんがやっていたときのように、笑顔《えがお》で待《ま》つ。

待《ま》つ。とにかく待《ま》つ。

フジは、まったく無視《むし》をして、プールの中央《ちゅうおう》で、ぷか〜っと浮《う》いている。

「ちっくしょー。あのイルカっ！」

でも、そんな声《こえ》は出《だ》せない。表情《ひょうじょう》もできない。ひたすら笑顔《えがお》で、フジが興味《きょうみ》を示《しめ》してくれるの

を待《ま》つだけだ。

そのうち、感《かん》じはじめたことがある。

「むりやり、つけたんじゃ、だれだってイヤだよな。」

プールの水《みず》をぬかれ、押《お》さえつけられて、人工尾《じんこうお》びれをつける。

たとえ、それで泳《およ》げるようになったとしても、それでは人間《にんげん》の自己満足《じこまんぞく》だ。

「フジが、よろこんでつけてくれなくちゃ、いい人工尾《じんこうお》びれとはいえない。」

何日《なんにち》も、古網《こあみ》は、ひたすらフジがくるのを待《ま》った。

そうするうちに、フジがだんだん、プールサイドに近寄《ちかよ》ってくるようになる。

「よし。」

古網《こあみ》は人工尾《じんこうお》びれを、フジの尾《お》びれに、ちょこん、とタッチする。

ピッ！

OK《オーケー》のホイッスルをふき、魚《さかな》をあげる。

「なんだ、それで、OK《オーケー》にするのか。」

ちょうど通《とお》りがかったぼくは、たずねる。

「あ、植田《うえだ》さん。」

「せっかく、プールサイドまできたんだから、押《お》さえこんで、つけちゃえばいいのに。」

「ダメですよ。そんなむりしちゃ。」

自信《じしん》たっぷりに言《い》う。

「異物装着訓練《いぶつそうちゃくくんれん》のときと同《おな》じです。『ちょっとずつ作戦《さくせん》』です。それに。」

「それに？」

「フジが自分《じぶん》から、つけたいって思《おも》えるようでなくちゃ、いい人工尾《じんこうお》びれとは、言《い》えませんから。」

古網《こあみ》は、プールサイドから、さっさとはなれて泳《およ》いでいくフジを見送《みおく》る。

その表情《ひょうじょう》は、余裕《よゆう》すら感《かん》じさせる。

へえ、わかってきたじゃないか。

フジは、むりをさせない古網《こあみ》を、信用《しんよう》しはじめていた。

サインを出《だ》すと、プールサイドに、きちんとくるようになる。

でも、古網《こあみ》は、まだ人工尾《じんこうお》びれをはかせない。

フジの尾《お》びれに、そっとあてる時間《じかん》を長《なが》くするだけだ。

少《すこ》しずつ、少《すこ》しずつ。そしてついに。

うたがうように、じーっと古網《こあみ》を見《み》つめるフジ。

いつでもあばれて逃《に》げられるように、かまえている。

それでも、プールサイドにやってきたフジは、じっとしている。

古網《こあみ》が、そっと人工尾《じんこうお》びれを、フジの尾《お》びれに装着《そうちゃく》する。

「よし、いいぞ！」

ピーッ！

OK《オーケー》のホイッスルが、力強《ちからづよ》く、ふかれた。

フジはだんだん、人工尾《じんこうお》びれを、いやがらなくなりはじめていた。

『これを、つけると、泳《およ》ぎやすい。』

人工尾《じんこうお》びれの意味《いみ》が、わかりはじめたのかもしれない。

このころからフジは、人工尾《じんこうお》びれをはずしても、くねくねと泳《およ》ぐことがなくなった。

ついに、小《ちい》さなうちわのような尾《お》びれを大《おお》きく動《うご》かし、ドルフィンキックで泳《およ》ぎはじめたのだ。

「フジは、浅瀬《あさせ》プールに、はいれないんですか？」

古網《こあみ》が、平子《ひらこ》さんに聞《き》いている。

浅瀬《あさせ》プールは、いま、フジがいるイルカラグーンのメインプールとつながっている。水《みず》がおとなのヒザぐらいまでしかない、子《こ》ども用《よう》のプールみたいなところだ。

イルカの観察会《かんさつかい》をひらくときは、そこにイルカにあがってもらう。するとお客《きゃく》さんに近《ちか》くでイルカを見《み》てもらうことができるのだ。

「浅瀬《あさせ》か。入《い》れたことないな。外間《ほかま》さんも、フジに教《おし》えていないんじゃないか？」

「浅瀬《あさせ》プールなら、人工尾《じんこうお》びれの装着《そうちゃく》が、しやすいと思《おも》いませんか？」

「そりゃ、いい考《かんが》えだ。」

「でしょう？」

「でも、いちどもはいったことないから、どうかな。」

「フジの娘《むすめ》のコニーも、息子《むすこ》のチャオも、リュウも、ほいほいはいってくるから、だいじょうぶじゃないですか？」

「浅瀬《あさせ》とメインプールとのあいだに、ちょっと敷居《しきい》みたいに、高《たか》くなっているところがあるだろ。あれ、こえられないんじゃないか？」

平子《ひらこ》さんは、手《て》で、イルカがこえる動《うご》きをしてみせる。

「こわいんですかね？」

「あの尾《お》びれだし。上手《じょうず》に泳《およ》げないことを、わかっているから。知《し》らないところにはいるのは、こわいかもしれないな。」

「訓練《くんれん》してみて、いいですか？」

「おっ、やる気《き》になっているね。」

そうして、古網《こあみ》とフジの浅瀬《あさせ》プール訓練《くんれん》がはじまった。

古網《こあみ》が浅瀬《あさせ》プールの敷居《しきい》に立《た》つ。

メインプールにいるフジに、黄色《きいろ》いターゲットを見《み》せる。

そばまできたフジに、ターゲットにタッチさせる。すかさず、ホイッスル。ピッ！

そして、そのターゲットを、少《すこ》しずつ、浅瀬《あさせ》プールの奥《おく》に、ずらしていくのだ。

魚《さかな》がほしくて、ターゲットに近《ちか》づくフジ。

「ここからが、むずかしいんですよ。」

そばで見《み》ているぼくに、古網《こあみ》が言《い》う。

「届《とど》かないと思《おも》うと、さっさと、帰《かえ》っていっちゃって。」

フジは、浅瀬《あさせ》プールで待《ま》つ古網《こあみ》のターゲットを見《み》る。それが、少《すこ》しでも『遠《とお》い。』と思《おも》うと、あっさりメインプールに泳《およ》いでいってしまう。

「おまえ、フジに負《ま》けているぞ。」

「信頼《しんらい》されてきている、はずなんですけれど。」

「いや、まだまだ、だな。」

「まだまだ、ですか。」

「相手《あいて》は、きもっ玉母《たまかあ》さんだからな。心《こころ》してかからないと。」

「はい。」

古網《こあみ》の挑戦《ちょうせん》は、つづいていた。


はりきる古網《こあみ》は、フジと、もうひとつの訓練《くんれん》をはじめていた。

それは『ツイスト』と呼《よ》ばれる動作《どうさ》だった。

「やっぱりコニーのツイストは、高《たか》いな！」

となりで、平子《ひらこ》さんが、フジの娘《むすめ》のコニーをツイストさせている。コニーは沖縄美《おきなわちゅ》ら海水族館《うみすいぞくかん》でも一、二を争《あらそ》うほど高《たか》いジャンプをする。尾《お》びれの力《ちから》が強《つよ》いのだ。

ツイストは、プールサイドに飼育係《しいくがかり》が立《た》ち、手《て》を前《まえ》に出《だ》す。

その手《て》のひらに向《む》かって、イルカが立《た》ち泳《およ》ぎをする、というものだ。

手《て》にタッチしつづけるようすが、ツイスト・ダンスを踊《おど》っているように見《み》えるので、こう呼《よ》ばれている。

「フジも、ツイストしないですかね。」

古網《こあみ》が、コニーを見《み》ながら言《い》う。

「ほら、フジ。こいっ！」

フジは、古網《こあみ》の手《て》を見《み》ると、ちょっとだけ、カラダを浮《う》かす。

でも、すぐにやめて、そっぽを向《む》いてしまう。

「まえは、できたんですよね？」

「ツイストは、できていたな。覚《おぼ》えているはずなんだけれど。」

「もうできないって、あきらめているんでしょうか。」

「水《みず》を蹴《け》っても、カラダが上《あ》がらない。それはフジにも、わかるからな。」

「そうですか……。」

古網《こあみ》がフジを見《み》つめる。

フジは、古網《こあみ》と目《め》を合《あ》わさないよう、ゆらゆらとプールサイドで浮《う》いている。

「よし、フジ。もういちど、こいっ！」

古網《こあみ》は、手《て》を水面《すいめん》に向《む》かって出《だ》す。

フジは、古網《こあみ》のサインを見《み》て、めんどうくさそうに動《うご》く。

でも、また、ほんのちょっと、浮《う》き上《あ》がっただけで、すぐにやめてしまっていた。

「できるんだよ。あきらめるなよ、フジ……。」


翌朝《よくあさ》から、古網《こあみ》の出社時間《しゅっしゃじかん》は、早《はや》くなった。

「早《はや》いな、おい。」

宿直《しゅくちょく》で、起《お》きたばかりのぼくは、ねぼけまなこのまま、古網《こあみ》を見《み》つける。

「朝《あさ》は、イルカの調子《ちょうし》がいいですからね！」

「朝練《あされん》か？　なにをするんだ？」

「人工尾《じんこうお》びれをつけて、フジに『ツイスト』をさせるんです。」

「ツイスト？」

「一日《にち》一回《かい》、きれいにツイストさせて、できるってこと、思《おも》い出《だ》してほしいんです。」

「むり、させるなよ。」

「はいっ！」

古網《こあみ》は『クロスバンド型《がた》』の人工尾《じんこうお》びれを持《も》って、プールサイドに駆《か》け出《だ》していった。

ほんとうに、別人《べつじん》のように、はりきっていた。

朝練《あされん》がうまくいきはじめ、ツイストがだいぶできるようになった五月《がつ》のこと。

いつものように、古網《こあみ》は、朝早《あさはや》くプールにきて、フジと訓練《くんれん》をしていた。

「だいぶ、人工尾《じんこうお》びれをこわがらなくなったな。いいぞ。」

浅瀬《あさせ》プールには、まだはいれない。けれど、プールサイドで人工尾《じんこうお》びれは、ちゃんとつけられるようになっていた。

「じゃ、はじめるか。まずは『鳴《な》き』。」

サインに合《あ》わせて、ガッガッ……と、鼻《はな》の穴《あな》から、音《おと》を出《だ》す。

さいしょは、簡単《かんたん》な動作《どうさ》から、ウォーミングアップだ。

「よし、じゃ、『ツイスト』だ。」

プールサイドに、背《せ》すじをのばして立《た》つ。

背《せ》の高《たか》い古網《こあみ》は、フジの筋力《きんりょく》を考《かんが》えて、腰《こし》をかがめて低《ひく》めに手《て》を出《だ》していた。

フジが、古網《こあみ》の手《て》のひらに向《む》かって水《みず》を蹴《け》る。

「あと、少《すこ》し。あと、五センチ……。」

いい目《め》だ。やる気《き》のないときのフジは『めんどうくさいなあ。』という目《め》つき。

でも、今日《きょう》は、ぜったいに手《て》にタッチしたい、と、やる気《き》まんまんだ。

ぐーっと、カラダをのばしてくる。

「もうちょっと。がんばれ！」

どぼっ！

つぎの瞬間《しゅんかん》、フジは、水《みず》のなかに、そのまま落《お》ちていった。

「えっ、なに？　なにっ？」

フジは、すごい勢《いきお》いで、その場《ば》から逃《に》げていった。

ほかのイルカたちも、同《おな》じようにダッシュで逃《に》げて、パニックになっている。

なんだ？　どうしたんだ？　古網《こあみ》には、わけがわからない。

フジが自分《じぶん》でやめたのではない。今日《きょう》のフジは、気迫《きはく》がこもっていた。なのに？

足《あし》もとのプールをのぞきこんだら、人工尾《じんこうお》びれが落《お》ちていた。

「うわっ、ぬげているっ？」

ツイストのあいだに、ぬげたのである。

ほかのイルカたちは、フジが人工尾《じんこうお》びれをつけていたなんて、知《し》るはずもない。

フジの尾《お》びれが、いきなりとれたと思《おも》って、あわてて逃《に》げたのだ。

「あちゃー。」

でも、ゆっくりしているヒマはない。もし、パーツがこわれていたら、イルカたちが飲《の》みこんでしまう。

「えっと、なにか棒《ぼう》かなにか……。」

周囲《しゅうい》を見《み》ても、そんな都合《つごう》のいいものが、落《お》ちているわけはない。

古網《こあみ》は、そのまま水《みず》のなかに飛《と》びこんだ。

朝《あさ》いちばんでのトレーニングは、私服《しふく》のジーンズのままだ。

帰《かえ》るとき、どうするんだよ？

沖縄《おきなわ》はもう夏《なつ》の日差《ひざ》しだから、夕方《ゆうがた》までには乾《かわ》いていると思《おも》うけれど。

「植田《うえだ》さん、植田《うえだ》さーん！」

「なんだよ、古網《こあみ》。朝《あさ》っぱらから。」

「『クロスバンド型《がた》』が、はずれました。」

「なにーっ？」

「ツイストをしていたらですね、いきなり、こう、どぼっと……。」

「ぬげた？」

「はい。」

ふーっ。ぼくは大《おお》きく息《いき》をはいた。

「ブリヂストンに連絡《れんらく》しないと。」

「なんとかなりますか？」

「してもらわないと、ダメだろう。」

「装着方法《そうちゃくほうほう》に、問題《もんだい》があるんですか？」

「『クロスバンド型《がた》』だと、これ以上《いじょう》は、きつくはめられないから、べつの方法《ほうほう》を考《かんが》えてもらうしかないな。」

「でも、べつの装着方法《そうちゃくほうほう》って、あるんですか？」

古網《こあみ》は、ちょっと不安《ふあん》そうにしている。

「なんとかしてもらう。そのあいだは、フジにむりさせないように、泳《およ》がせてくれ。」

「はい。」

新《あたら》しい装着方法《そうちゃくほうほう》。そんなものが、あるんだろうか。

8　新《あたら》しい目標《もくひょう》

ブリヂストンの反応《はんのう》は、早《はや》かった。

フジが『クロスバンド型《がた》』を、はずしてからひと月《つき》。

六月《がつ》には、つぎの人工尾《じんこうお》びれが完成《かんせい》していた。

「ゴムの尾《お》びれのなかに、芯《しん》を入《い》れました。これで、もうぐにゃぐにゃ、まがりません。」

沖縄《おきなわ》まで持《も》ってきてくれた、ブリヂストンの加藤《かとう》さんが説明《せつめい》してくれる。

「ほんとうだ。だいぶちがいますね。」

古網《こあみ》が、『クロスバンド型《がた》』の人工尾《じんこうお》びれと、さわりくらべている。

「それと、装着方法《そうちゃくほうほう》なんですが。ベルトはやめました。べつの方法《ほうほう》です。」

加藤《かとう》さんが、バッグのなかから、黒《くろ》いものを取《と》り出《だ》す。

「なんですか、それ？」

それは、見《み》たこともないカタチをしていた。

大《おお》きなブーメランを、まるめたような、変《か》わったカタチ。

「『カーボンファイバー』という、こわれにくい素材《そざい》でつくってあります。」

「あっ、レーシングカーのF1《エフワン》に、使《つか》っているヤツですよね!」

クルマ好《ず》きの古網《こあみ》が、うれしそうに言《い》う。

「そうです。ふつうのクルマは鉄《てつ》でつくります。レーシングカーは、軽《かる》さが大切《たいせつ》なので、この『カーボンファイバー』でボディをつくるんです。」

ぼくは、加藤《かとう》さんからその『黒《くろ》い物体《ぶったい》』を受《う》け取《と》った。

「軽《かる》いですね。」

重《おも》そうに見《み》えたけれど、それは、びっくりするくらい軽《かる》かった。

「うわ、ほんとうだ。」

古網《こあみ》も持《も》ってみて、おどろいている。

「しかも、弾力《だんりょく》があります。動《うご》かせます。」

加藤《かとう》さんは、まるまったブーメランを、押《お》さえてみせる。

ピンセットみたいに、開《ひら》いたり閉《と》じたりした。

「これを、このゴムの尾《お》びれに、こう、かぶせて……。」

目《め》の前《まえ》で、新《あたら》しいゴムの尾《お》びれに、その『黒《くろ》い物体《ぶったい》』をかぶせる。

「そして、この部分《ぶぶん》を、二本《ほん》のネジでとめます。」

バッグのなかから、ネジが出《で》てきた。

「すごい。」

古網《こあみ》が思《おも》わず、声《こえ》をあげていた。

ゴムと、カーボンファイバー。ふたつが合体《がったい》していた。

ブリヂストンの斉藤《さいとう》さんが、お風呂《ふろ》のなかでひらめいたアイディアらしい。

それは、表面《ひょうめん》に凹凸《おうとつ》がほとんどない。イルカの尾《お》びれと、ほとんど同《おな》じカタチだった。

薬師寺《やくしじ》さんの『シェル型《がた》』に、刺激《しげき》されたのかもしれない。

これなら、薬師寺《やくしじ》さんも、納得《なっとく》してくれるだろう。

「水《みず》の抵抗《ていこう》も少《すく》ないですね。」

古網《こあみ》が興奮《こうふん》している。

「それに、はずれることもありません。」

古網《こあみ》のよろこぶ顔《かお》を見《み》て、加藤《かとう》さんもうれしそうだ。

「名前《なまえ》を、どうしようかなと思《おも》って。」

加藤《かとう》さんが、名前《なまえ》を募集《ぼしゅう》する。

「『カウリング型《がた》』はどうですか？」

クルマ好《ず》きの古網《こあみ》が、提案《ていあん》する。

空気抵抗《くうきていこう》を少《すく》なくするため、エンジンにかぶせるカバーをこう呼《よ》ぶ。F1《エフワン》マシンのボディもこう呼《よ》ばれているのだ。

速《はや》く走《はし》るための、F1《エフワン》マシン。

水《みず》の抵抗《ていこう》が少《すく》なく、速《はや》く泳《およ》ぐための、フジの人工尾《じんこうお》びれ。

ぴったりの名前《なまえ》だった。

「いいですね、『カウリング型《がた》』。それでいきましょう。」

みんな、大賛成《だいさんせい》だ。

「さっそく、フジにテストしてもらいましょう。」

ぼくたちは、『カウリング型《がた》』の人工尾《じんこうお》びれを持《も》って、プールサイドにいった。

古網《こあみ》が、フジを呼《よ》ぶ。

浅瀬《あさせ》プールにはいる訓練《くんれん》は、つづいている。けれど、まだ、フジはこわがって、はいれない。

だから今日《きょう》は、プールサイドで、装着《そうちゃく》をした。

フジが横《よこ》たわる。

「警戒《けいかい》しているなあ。」

フジはカラダ全体《ぜんたい》に力《ちから》がはいり、いつでも逃《に》げてやる、という体勢《たいせい》だ。

それでも、人工尾《じんこうお》びれをはめ、ネジをとめているあいだ、じっとしていた。

ピッ！　古網《こあみ》のOK《オーケー》のホイッスルの音《おと》。

それを合図《あいず》に、ぼくは、水《みず》のなかにもぐった。

フジの、水《みず》のなかでの動《うご》きを、水中《すいちゅう》ビデオで撮影《さつえい》するためだ。

「えっと、フジは……？」

信《しん》じられなかった。

フジが、見分《みわ》けられない。

フジは、ほかのイルカたちと、まったく同《おな》じように泳《およ》いでいたのだ。

『長《なが》ぐつ型《がた》』のときも、『クロスバンド型《がた》』のときも、ばたばたと、泳《およ》いでいた。

でも、今回《こんかい》はちがう。二回《かい》ほど、尾《お》びれをふる。そして、そのまま尾《お》びれの動《うご》きを止《と》める。

すーっ……。

気持《きも》ちよさそうに、フジは水《みず》のなかを進《すす》んでいた。
カマイルカのトッポが、フジのそばにくる。二頭《とう》で、並《なら》んで泳《およ》ぎはじめる。
すいっ、すいっ、すーっ……。
尾《お》びれをふるタイミング。回数《かいすう》。すーっと進《すす》むようす。
右《みぎ》にまがるとき。息《いき》をするために、水面《すいめん》に顔《かお》を出《だ》すとき。
フジと、トッポは、同《おな》じようにカラダをひねり、同《おな》じように尾《お》びれをふる。
まったく同《おな》じ動《うご》きをして、泳《およ》いでいた。
信《しん》じられない……。
フジ。仲間《なかま》といっしょに、泳《およ》ぐフジ。
ぼくは、どれだけ、この瞬間《しゅんかん》を、待《ま》ち望《のぞ》んでいたのだろう。
「植田《うえだ》さんっ！」
水《みず》の上《うえ》に浮《う》かんだぼくに、古網《こあみ》が声《こえ》をかける。
「どうでしたっ？」
加藤《かとう》さんたちも、不安《ふあん》そうに、ぼくを見《み》ている。
ぼくは、大声《おおごえ》で言《い》った。

「どれがフジだか、わかりません！」

全員《ぜんいん》の顔《かお》が、はじけたように笑顔《えがお》になる。

「やったーっ！」

古網《こあみ》が声《こえ》をあげる。

加藤《かとう》さんが、満足《まんぞく》そうに、フジを見《み》つめている。

フジは、ときどき、あいさつをするように水面《すいめん》に出《で》て、息《いき》をする。

そして、いつまでもずっと、泳《およ》ぎつづけていた。


「フジは、スマートになりましたね。」

ミーティングで、加藤《かとう》さんが言《い》った。

ほんとうに、そうだった。

このところのフジは、運動量《うんどうりょう》がふえ、急《きゅう》に体重《たいじゅう》が減《へ》ってきた。

「これで、生活習慣病《せいかつしゅうかんびょう》の心配《しんぱい》も、なくなりました。人工尾《じんこうお》びれの効果《こうか》ですね。」

太《ふと》りすぎの心配《しんぱい》もなくなった。

人工尾《じんこうお》びれをつくってくれたこと。

フジを、もういちど、仲間《なかま》たちと泳《およ》がせてくれたこと。

獣医《じゅうい》として、感謝《かんしゃ》しても、しきれない。

「今日《きょう》も、ずーっと泳《およ》いでいましたね。」

と、加藤《かとう》さん。

「人工尾《じんこうお》びれがなくても、ちゃんと、ドルフィンキックで泳《およ》ぐようになったんですよ。」

古網《こあみ》が、フジのようすを報告《ほうこく》する。

そのとき。

「泳《およ》ぐだとお？」

声《こえ》の主《ぬし》は、鯨類研究者《げいるいけんきゅうしゃ》の大谷博士《おおたにはかせ》。

博士《はかせ》とはいっても、ぼくよりふたつ年下《としした》で、ぼくの弟《おとうと》のようなヤツ。

「まあまあ、ハカセ。そう落《お》ちこまないで。」

ぼくと古網《こあみ》が、大谷博士《おおたにはかせ》を、なぐさめる。

「せっかく東京《とうきょう》から、フジの泳《およ》ぐ速度《そくど》のデータをとりにきたのに。」

ハカセは、天井《てんじょう》を見上《みあ》げる。

『きちんとしたデータをとって、人工尾《じんこうお》びれのよさを証明《しょうめい》すること。』

内田館長《うちだかんちょう》との約束《やくそく》だ。大谷博士《おおたにはかせ》は、泳《およ》ぐ速度《そくど》の研究《けんきゅう》をしている第一人者《だいいちにんしゃ》。今日《きょう》のために、準備《じゅんび》をすすめ、やはり東京《とうきょう》からきてくれていた。データをとることには、自信《じしん》があったはず。なのに……。

「あのイルカ、泳《およ》ぐどころか、浮《う》きやがった。」

「ぷーっ！」

笑《わら》いをこらえきれず、古網《こあみ》がふきだした。

大谷博士《おおたにはかせ》が、うなだれる。

『カウリング型《がた》』の人工尾《じんこうお》びれをつけて、仲間《なかま》と泳《およ》いだフジ。

でも、そのあと、遊泳速度《ゆうえいそくど》を調《しら》べる、データロガーと呼《よ》ばれる小《ちい》さなコンピュータを、吸盤《きゅうばん》でカラダにつけたら。

ぷか〜っと、浮《う》いたのだ。それも、わざわざ、大谷博士《おおたにはかせ》のいるプールサイドまできて。

まるで『とれ。』とでも、言《い》っているかのように。

「データロガーのついたところ、大谷《おおたに》さんに見《み》せていましたよね。」

古網《こあみ》が、笑《わら》いすぎて、涙《なみだ》を浮《う》かべている。

「やっぱり？　おなか向《む》けて、『うりゃあ、とりやがれ！』って、言《い》ってたよな、あれ。」

古網《こあみ》が、必死《ひっし》に、笑《わら》いをこらえて、うなずいている。

「ヘンなもの、くっつけられると、いやなんだなあ。」

大谷博士《おおたにはかせ》が、小《ちい》さなデータロガーを、残念《ざんねん》そうに見《み》つめている。

研究者《けんきゅうしゃ》として、イルカに人間《にんげん》の感情《かんじょう》を、あてはめないようにしている。けれど、今回《こんかい》ばかりは、『いや。』という、フジの気持《きも》ちを、伝《つた》えられた気《き》がする。

「人工尾《じんこうお》びれを、つけさせてくれるのは、訓練《くんれん》の成果《せいか》ですね。」

加藤《かとう》さんが、感謝《かんしゃ》しながら言《い》う。

「飼育係《しいくがかり》のみんなで、がんばったから。」

ほめられた古網《こあみ》が、ちょっと照《て》れている。

「いいなあ、人工尾《じんこうお》びれは完成《かんせい》して。」

大谷博士《おおたにはかせ》は、がっくりと落《お》ちこんでいる。

「大谷《おおたに》さん、ちゃんとぼくが、フジを訓練《くんれん》しますから。」

古網《こあみ》が、なぐさめるように声《こえ》をかける。

「たのむよ、古網《こあみ》くん……。」

人工尾《じんこうお》びれが完成《かんせい》して、ミーティングは、明《あか》るい笑《わら》いに包《つつ》まれていた。

そう、人工尾《じんこうお》びれは完成《かんせい》したはず、だったのだ。

『カウリング型《がた》』の人工尾《じんこうお》びれの完成《かんせい》で、古網《こあみ》もフジも、気合《きあい》がはいってきた。

「いいか、フジ。これからは、これがおまえの尾《お》びれなんだからな。」

フジに向《む》かって言《い》っている。

「ちゃんと、使《つか》いこなせるよう、練習《れんしゅう》しような。」

フジには、日本語《にほんご》は、わからないって。

でも、まえより古網《こあみ》のことを、まっすぐ見《み》つめるようになった。

「まずはこの浅瀬《あさせ》プールだ。ここにはいれば、もっと簡単《かんたん》に、人工尾《じんこうお》びれがつけられるんだぞ。」

古網《こあみ》は、フジに黄色《きいろ》いターゲットを見《み》せる。

フジは、またそれか、という顔《かお》をする。

「よし、こいっ。」

古網《こあみ》が浅瀬《あさせ》プールに立《た》ち、フジにターゲットを向《む》ける。

少《すこ》しずつ、少《すこ》しずつ、浅瀬《あさせ》にはいるよう、ターゲットを動《うご》かしていく。

フジは、だいぶ慣《な》れてきたようで、浅瀬《あさせ》プールの入《い》り口《ぐち》にある、敷居《しきい》に乗《の》るようになった。

「あと、少《すこ》し。このまま浅瀬《あさせ》プール側《がわ》に、落《お》ちてきてくれれば！」

だけど、がんこなフジが、そう簡単《かんたん》に言《い》うことをきくわけがない。

敷居《しきい》の上《うえ》で、カラダをシーソーのように、ぶらぶらさせる。完全《かんぜん》に、古網《こあみ》をからかっているようすだ。

「おっ、こっちにくるか？」

古網《こあみ》に期待《きたい》させて、そのまま、『いやだもんね。』とでもいうように、メインプールに、ざぶーん……と、落《お》ちていく。

「だめか。」

でも、古網《こあみ》もあきらめない。

もういちど。もう一回《かい》。毎日《まいにち》、毎日《まいにち》、それはつづいた。

古網《こあみ》も、ひきさがらない。フジとの、がまんくらべだ。

「よし。今日《きょう》もやるぞ。こい、フジ！」

ターゲットを向《む》ける。

フジは、また、浅瀬《あさせ》プールの入《い》り口《ぐち》の敷居《しきい》に、カラダを乗《の》せる。

そうして、古網《こあみ》をからかうつもりだったのかもしれない。

ところが、そのときは、勢《いきお》いがありすぎた。

敷居《しきい》に乗《の》った。つもりが、そのまま、止《と》まることができない。

「うわーっ!?」

そう、さけんだのは、古網《こあみ》なのか、フジなのか。フジは、そのまま、浅瀬《あさせ》プールに飛《と》びこんできた。

「ええっ？」

おどろく古網《こあみ》。フジもあわてていた。

こんなはずじゃやっ！

ばっしゃん、ばっしゃん、ばっしゃん！

小《ちい》さな尾《お》びれをばたばたと動《うご》かし、浅瀬《あさせ》プールで大《おお》あばれする。

そして、まわりに水《みず》をかけまくって、猛《もう》ダッシュで、逃《に》げ帰《かえ》っていった。

「……やったあ。」

浅瀬《あさせ》プールで立《た》ちつくす古網《こあみ》。

わずか数秒《すうびょう》。でも、フジはたしかに浅瀬《あさせ》プールにはいったのだった。

苦節《くせつ》三か月《げつ》。古網《こあみ》のねばり勝《が》ちだった。

浅瀬《あさせ》プールから、自分《じぶん》ひとりで出《で》ていくことができる。それがわかったフジは、翌日《よくじつ》からは、少《すこ》しずつ、浅瀬《あさせ》プールにはいってくるようになった。

「だいじょうぶだから。」

はいってきたときは、古網《こあみ》が声《こえ》をかける。

やさしくカラダをなでてやる。

フジは古網《こあみ》を信頼《しんらい》して、浅瀬《あさせ》プールの『こわさ』を、乗《の》りこえたのだった。

だけど、そうしてよろこんだのも、ほんの数日《すうじつ》だった。

「植田《うえだ》さんっ！」

古網《こあみ》があわてて、駆《か》けてくる。

こんどは、なんだよ？

「『カウリング型《がた》』が、割《わ》れました！」

なにいーっ？

「どういうことだよ。割《わ》れたって！」

「人工尾《じんこうお》びれをつけて、浅瀬《あさせ》プールにはいる訓練《くんれん》をしていたんです。」

「でっ？」

「割《わ》れました。」

「おまえ、それじゃ、わからないだろう。もっとくわしく説明《せつめい》しろよ。」

「いや、それだけなんです。入《い》れようとサインを出《だ》したら、フジが上《あ》がってきて。」

それで？

「いつもより、力強《ちからづよ》く尾《お》びれをふっているなと、思《おも》ったら。」

で？

「上《あ》がってきた尾《お》びれを見《み》たら、割《わ》れていました。」

古網《こあみ》は、割《わ》れた『カウリング型《がた》』の人工尾《じんこうお》びれを持《も》っていた。

先《さき》に見《み》せろよ、それをっ！

「うわー、カウリングが、ばっきり割《わ》れている。」

ちょうどまんなかの部分《ぶぶん》が、みごとに割《わ》れていた。

「ゴム尾《お》びれのなかにある、芯《しん》もいってます。」

ゴムの尾《お》びれを、さわる。

横《よこ》に一本《ぽん》にはいっているはずの、硬《かた》い芯《しん》が、三分《ぶん》の一くらいのところで、折《お》れていた。

「『カーボンファイバー』だぞ？」

「ですね。」

「折《お》れるのか？」

「折《お》れました。」

そうだ、折《お》れているのだ。これが現実《げんじつ》なんだ。

人工尾《じんこうお》びれは、完成《かんせい》したはずじゃなかったのか？

まだ、だめなのか？

「もしもし。」

ぼくは、ブリヂストンの加藤《かとう》さんに連絡《れんらく》した。

仕事中《しごとちゅう》にいきなり電話《でんわ》なんて、申《もう》し訳《わけ》ない。でも、今日《きょう》はそんなのんきなことは言《い》っていられない。

「えっ？」

言葉《ことば》が止《と》まる。さすがの加藤《かとう》さんも、こんなに早《はや》くこわれるとは、予想《よそう》していなかったみたいだった。

「そうですか。」

ただ、加藤《かとう》さんは、落《お》ちついていた。

「申《もう》し訳《わけ》ない。『こわれないものをつくる。』という、約束《やくそく》が守《まも》れていません。」

約束《やくそく》。いちばんさいしょに、ブリヂストンに、お願《ねが》いしたこと。

『フジの尾《お》びれを傷《きず》つけないこと。』

『イルカが破片《はへん》を飲《の》みこまないよう、こわれないこと。』

「『カウリング型《がた》』の強度《きょうど》を上《あ》げます。もっと強《つよ》くてこわれないようにして、すぐに送《おく》ります。」

加藤《かとう》さんは約束《やくそく》してくれた。

「どうでした？」

古網《こあみ》がぼくを見《み》る。

「『カウリング』と『芯《しん》』を強《つよ》くして、すぐに送《おく》ってくれるって。」

「よかった。」

「よかったな。でも、たのむよ。こわすなよ。」

「ぼくじゃないですよ。フジがこわすんですから。」

フジの体力《たいりょく》は、どんどん回復《かいふく》していた。

水《みず》を蹴《け》る力《ちから》も。泳《およ》ぎたいという、気持《きも》ちも。

いちばんそばでフジを見《み》ている古網《こあみ》が、いちばんよくわかっているはずだ。

「古網《こあみ》。」

「はい？」

「ところでおまえ、なにか、たくらんでいないか？」

「はあ？」

古網《こあみ》は、てきとうな返事《へんじ》をする。

こいつ、ぜったい、なにか、たくらんでいる！


古網《こあみ》の動《うご》きがヘンだ。

このところ、となりの机《つくえ》に、いつもいない。

どこに、いっているんだ、あいつ？

「古網《こあみ》くーん。ショーの時間《じかん》。あれ、古網《こあみ》くんは？」

飼育係《しいくがかり》の女性《じょせい》が呼《よ》びにくる。

「さっきから、いないけれど。」

「へんね。更衣室《こういしつ》にもいないし……。」

古網《こあみ》が、海獣課《かいじゅうか》の建物《たてもの》のウラから、走《はし》ってくる。

「あっ、すみません！　ショーの時間《じかん》ですよね。いま、いきます！」

「いそいでね。」

古網《こあみ》はあわてて、オキちゃん劇場《げきじょう》プールに走《はし》っていった。

「あいつ、ウラでなにやっていたんだ？」

「さあ？」

ぼくたちは、ウラにいってみた。

「あー！」

そこには、赤《あか》と白《しろ》のシマもようの箱《はこ》。それが、ものほしざおのような、長《なが》い棒《ぼう》の先《さき》にくっついている。

わきには、赤《あか》いテープやら、ハサミやら。

いままで、古網《こあみ》はここで、これをつくっていたようだった。

「これ、なに？」

飼育係《しいくがかり》の女性《じょせい》に聞《き》く。

「……ハイジャンプのターゲット。」

えっ？　おどろいて、彼女《かのじょ》を見《み》る。

彼女《かのじょ》は、じーっとそれを見《み》て、きっぱりと言《い》った。

「フジの、だわ。」

えっ？　ええっ？

古網《こあみ》は、フジにジャンプを、させようとしているのか？

『カウリング型《がた》』が割《わ》れてから、数週間後《すうしゅうかんご》。

補強《ほきょう》された新《あたら》しい人工尾《じんこうお》びれが送《おく》られてきた。カウリングの部分《ぶぶん》が、ブルーにぬられている。

「青《あお》だ。」

「きれいですね。」

これなら水《みず》のなかを泳《およ》いでいても、フジだと、すぐにわかる。

「古網《こあみ》。」

プールサイドに向《む》かう古網《こあみ》は、手《て》に、ハイジャンプのターゲットを持《も》っていた。

「ジャンプか？」

見《み》つかった、という顔《かお》をして、古網《こあみ》が、えへへ、と笑《わら》う。

「できるんですよ。いまのフジなら、ぜったいに。」

「どうしてわかる？」

「ずっとそばにいるんです。わかります。」

古網《こあみ》は、すごくいい表情《ひょうじょう》をしている。

「ちょっと、見《み》ていてください。」

ぼくたちはいっしょに、浅瀬《あさせ》プールに向《む》かった。

フジは、古網《こあみ》がいくと、すぐに浅瀬《あさせ》プールのそばにくる。

大《おお》きくサインを出《だ》すと、ためらいもなく上《あ》がってくる。

「へえ。もう浅瀬《あさせ》プールは、だいじょうぶだな。」

「これで、人工尾《じんこうお》びれが、つけやすくなりましたよ。」

人工尾《じんこうお》びれをはかせ、OK《オーケー》の合図《あいず》を出《だ》すと、フジがメインプールにもどっていく。

古網《こあみ》は、メインプールのプールサイドに、ターゲットを持《も》って歩《ある》いていった。

「じゃ、いきます。」

古網《こあみ》が、ハイジャンプのターゲットをかかげる。

とはいえ、かなり低《ひく》い位置《いち》だ。

「きますよ。」

フジが助走《じょそう》をつけて、跳《と》び上《あ》がってくる。

フジは、カラダをのばして、しっかりターゲットにタッチする。

ジャンプというよりは、ちょっと高《たか》めのツイスト、という感《かん》じだ。

カラダの三分《ぶん》の一は、まだ、水《みず》のなかにある。

「まだ、低《ひく》いんです。でも、これを少《すこ》しずつ、高《たか》くしていけば。」

カラダ全体《ぜんたい》が、水《みず》から出《で》て、ジャンプができるんです。

そう、古網《こあみ》の目《め》は言《い》っていた。

「でも、フジは跳《と》びたいんですかね。」

古網《こあみ》は弱気《よわき》になって、ぽつり、と言《い》う。

「いまのフジなら、きっと、跳《と》べると思《おも》うんです。体力《たいりょく》も上《あ》がってきているし。でも、それはぼくの思《おも》いこみで、ほんとはフジは、やらされているって、思《おも》っているのかも……。」

「うわ、ちょっと……。」

えっ？　ぼくは、声《こえ》がする反対側《はんたいがわ》のプールサイドを見《み》る。

「古網《こあみ》っ！」

反対側《はんたいがわ》のプールサイドを指《ゆび》さす。

古網《こあみ》が見《み》る。

「フジっ？」

ざばっ！

フジが、ターゲットに向《む》かってジャンプをしようとしていた。

それは、フジの娘《むすめ》のコニーに出《だ》されたものだった。

「フジっ！」

コニーのジャンプ力《りょく》に合《あ》わせて、ターゲットはとんでもなく高《たか》い位置《いち》に上《あ》げられていた。

タッチはできないけれど、フジのジャンプは、古網《こあみ》のときよりも、かなり高《たか》い。

「フジっ！」

古網《こあみ》があわててフジを呼《よ》ぶ。浅瀬《あさせ》プールに上《あ》がってきたフジの尾《お》びれをチェックする。

「うわ、やった……。」

補強《ほきょう》したはずの『カウリング型《がた》』も、まっぷたつに割《わ》れていた。

古網《こあみ》がいそいで、フジから人工尾《じんこうお》びれをはずす。

はずし終《お》わると、ぼくに向《む》かって、決心《けっしん》したように言《い》う。

「植田《うえだ》さん！　フジは、やっぱり跳《と》びたいんです。仲間《なかま》のように、跳《と》びたいんです。ぼくはフジを、跳《と》ばせてやりたいんです！」

「古網《こあみ》……。」

古網《こあみ》はぼくを見《み》つめる。

「ジャンプは、さいしょのリクエストに、はいっていないんだ。」

「え？」

どういうことですか、と、古網《こあみ》の表情《ひょうじょう》が動《うご》く。

「フジを、もういちど泳《およ》がせたい。そう、お願《ねが》いした。だから、泳《およ》ぐための人工尾《じんこうお》びれなんだ。ジャンプまで、考《かんが》えてはいない。」

「そんな……だって、だけどフジは！」

「そうだな。」

フジは浅瀬《あさせ》プールで、こちらを見《み》ていた。話《はなし》を聞《き》いているみたいだった。

「ジャンプが、イルカの生活《せいかつ》の一部《いちぶ》なら、それは、かなえてあげないといけないな。」

「植田《うえだ》さん！」

古網《こあみ》が笑顔《えがお》になる。

「ジャンプに耐《た》える人工尾《じんこうお》びれ、つくってもらおうじゃないか。」

「はい！」

「よーし、古網《こあみ》。フジのハイジャンプ、訓練《くんれん》しておけよ。」

「はいっ！」

9　破損《はそん》とケガ

東京《とうきょう》に連絡《れんらく》すると、電話《でんわ》のむこうで、ブリヂストンの加藤《かとう》さんの声《こえ》がひっくり返《かえ》った。

「ジャンプ？」

「すみません。ぼくたちが跳《と》ばしたんじゃないんです。フジが跳《と》びたがるんです。」

「もう、跳《と》べるんですか？」

「いえ。でも、カラダの三分《ぶん》の二は、水《みず》の上《うえ》に出《で》ます。このまま訓練《くんれん》をつづければ、必《かなら》ず跳《と》べるようになります。」

「そうですか。」

加藤《かとう》さんは少《すこ》し、迷《まよ》っているようだった。

「植田《うえだ》さん。」

「はい？」

「フジは、どこまで元気《げんき》になるんでしょう。」

加藤《かとう》さんの言《い》いたいことは、よくわかった。

さいしょは泳《およ》げず、浮《う》くだけのフジを、泳《およ》げるように。そのための人工尾《じんこうお》びれだ。

けれど、泳《およ》げるようになったら、つぎはツイスト。そしてこんどは、ジャンプだ。

つくってもつくっても、フジは人工尾《じんこうお》びれを、こわしていく。

どこまで元気《げんき》になるのか。そして、いつまでつくりつづけなければならないのか。

つくるのがいやだと言《い》っているのではない。

それは加藤《かとう》さんの声《こえ》からよくわかる。

みんなが、フジが元気《げんき》になっていくのを、心《こころ》からよろこんでいるのだ。それに。

「元気《げんき》になって、ジャンプができるようになっちゃったりしてね。」

みんなで冗談《じょうだん》のように言《い》いあっていた言葉《ことば》だ。

泳《およ》げるようになった姿《すがた》を見《み》ながら、そんな夢《ゆめ》のようなことを話《はな》していた。

そう、夢《ゆめ》だったのだ。

でもいま、フジはほんとうに、ジャンプをしようとしている。

「ここまできたら、ジャンプに耐《た》えられる人工尾《じんこうお》びれをつくりたい。」

でもそれは、いったいいつ、できるのだろう。

ブリヂストンで、はじめて加藤《かとう》さんに会《あ》ってから、一年八か月《げつ》がたとうとしていた。

時間《じかん》の流《なが》れとともに、さいしょは一丸《いちがん》となっていたみんなの気持《きも》ちが、ずれはじめていた。

なにが目標《もくひょう》なのか。

どこがゴールなのか。

ジャンプまで見《み》とどける意味《いみ》は？　価値《かち》は？　義務《ぎむ》は？

みんな、仕事《しごと》の合間《あいま》に、がんばってくれている。そんないそがしい生活《せいかつ》のなかで、どこまでやりつづければいいのか。

ぼくたちは、目標《もくひょう》を見失《みうしな》いかけていた。

ぼくは電話《でんわ》を切《き》ったあと、ひとつの決心《けっしん》をした。

『人工尾《じんこうお》びれプロジェクトを、終《お》わりにしよう。』

このまま、だらだらつづけていても、いいことはなにもない。

みんな『フジを助《たす》けたい。』という思《おも》いだけで動《うご》いている。全員《ぜんいん》がボランティアなのだ。

ゴールがはっきりしなければ、みんなの気持《きも》ちがばらばらになって、空中分解《くうちゅうぶんかい》してしまう。

そんなことになったら、いままでがんばってきたことがすべてむだになってしまう。

人工尾《じんこうお》びれをつくってくださいと、たのんだ張本人《ちょうほんにん》として、ぼくは、このプロジェクトにかかわった全員《ぜんいん》が動《うご》きやすいように、調整《ちょうせい》する義務《ぎむ》と責任《せきにん》がある。

内田館長《うちだかんちょう》や、海獣課《かいじゅうか》の宮原課長《みやはらかちょう》と相談《そうだん》をして、最終目標《さいしゅうもくひょう》を決《き》めた。

「期限《きげん》は今年《ことし》いっぱい。」

「イルカの生活《せいかつ》の一部《いちぶ》である、ジャンプに耐《た》える人工尾《じんこうお》びれをつくる。」

それ以上《いじょう》の性能《せいのう》を求《もと》めるかどうか。人工尾《じんこうお》びれプロジェクトをつづけるかどうかは、その目標《もくひょう》を達成《たっせい》したあとに考《かんが》えればいい。

とにかくいまは、目標《もくひょう》に向《む》かって、みんなの気持《きも》ちをひとつにすることだ。

ふたたびブリヂストンの加藤《かとう》さんに連絡《れんらく》をする。

「プロジェクトを、今年《ことし》いっぱいで終《お》わりにしようと思《おも》います。」

加藤《かとう》さんは、ぼくの言《い》っていることを、すぐに理解《りかい》してくれた。

「十二月《がつ》までに、フジがジャンプをしても、こわれない人工尾《じんこうお》びれをつくってください。」

目標《もくひょう》と期限《きげん》を、加藤《かとう》さんに伝《つた》えた。

「目指《めざ》すべきゴールがクリアになりましたね。十二月《がつ》。いま八月《がつ》のあたまですから、あと四か月《げつ》

ちょっとですね。」

「はい。それまでに飼育係《しいくがかり》は、フジがジャンプをできるように訓練《くんれん》します。そして大谷博士《おおたにはかせ》のデータロガーも装着《そうちゃく》できるようにします。」

「わかりました。全力《ぜんりょく》をつくします。」

加藤《かとう》さんの声《こえ》は、いつも落《お》ちついていて、あたたかい。

「植田《うえだ》さん。もう時間《じかん》がありません。沖縄《おきなわ》での装着《そうちゃく》テストのときは、その場《ば》で改良《かいりょう》をしていきたい。細《こま》かな調整《ちょうせい》が必要《ひつよう》になってきます。造形作家《ぞうけいさっか》の薬師寺《やくしじ》さんのような、手先《てさき》の器用《きよう》な人《ひと》に手伝《てつだ》ってもらえるとありがたいんですが。」

「加藤《かとう》さん。薬師寺《やくしじ》さんは、もうそのつもりでいてくれていますよ。」

「作品《さくひん》づくりは、だいじょうぶなんですか？」

「フジのジャンプを見《み》とどけるまでは、作品《さくひん》に打《う》ちこめないみたいです。」

「みんな、フジにやられちゃっていますね。」

「ほんとに。」

「大《だい》の男《おとこ》たちが、一頭《とう》のイルカにメロメロですよ。」

ぼくたちは、電話口《でんわぐち》で笑顔《えがお》になった。

最終目標《さいしゅうもくひょう》、最終期限《さいしゅうきげん》。もう、後悔《こうかい》も言《い》いわけもなしだ。あとは全力《ぜんりょく》でいくしかない。

『フジをジャンプさせる。』

全員《ぜんいん》がまた、ひとつになってゴールに向《む》かいはじめた。

目標《もくひょう》が伝《つた》えられた古網《こあみ》とフジの集中力《しゅうちゅうりょく》はすごかった。

コニーのターゲットに向《む》かってジャンプしたあと、フジはジャンプの感覚《かんかく》を思《おも》い出《だ》したようだった。

古網《こあみ》が出《だ》すターゲットの高《たか》さも、どんどん、上《あ》がっていく。

プールサイドに立《た》つ古網《こあみ》。その足《あし》もとで、立《た》ち泳《およ》ぎをしながら、古網《こあみ》のサインを待《ま》つフジ。おたがいの目《め》が合《あ》った瞬間《しゅんかん》、古網《こあみ》は、ハイジャンプのターゲットを高《たか》くかかげる。

「いけっ！」

フジが水《みず》のなかにもぐり、助走《じょそう》をつける。

そしてジャンプ！

カラダ全体《ぜんたい》が水《みず》の上《うえ》に出《で》る。フジの尾《お》びれは、ほんのわずかではあるけれど、水《みず》の上《うえ》に出《で》ていた。

「出《で》たっ！　見《み》た？　見《み》たよね！」

古網《こあみ》は、そのシーンがまちがいではないのを、まわりにたしかめる。

その場《ば》にいた飼育係《しいくがかり》が、歴史的瞬間《れきしてきしゅんかん》を見《み》たように、目《め》をまるくしてうなずいている。

「やったあ！」

加藤《かとう》さんと、期限《きげん》を決《き》めてからわずか二週間《しゅうかん》。古網《こあみ》はフジのハイジャンプを完成《かんせい》させていた。

けれど、ジャンプのときに、尾《お》びれにかかる力《ちから》は、すさまじかった。

「また、こわしました。」

古網《こあみ》は、こわれた人工尾《じんこうお》びれを、ぼくのところに持《も》ってくる。

ブリヂストンからは、強《つよ》くした人工尾《じんこうお》びれがつぎつぎに、送《おく》られてくる。でも、ほんの一回《かい》のジャンプで、ひどいときは、泳《およ》ぎはじめてすぐに、フジはこわしていた。

フジのやる気《き》は、とにかくすごかった。

新《あたら》しい人工尾《じんこうお》びれが届《とど》くと、豪快《ごうかい》にジャンプしようとする。まるで『また、こわしてあげるわ。』とでも言《い》っているかのようだ。

そして、九月《がつ》。事件《じけん》は起《お》こった。

ブリヂストンの加藤《かとう》さんたちが、最新型《さいしんがた》の『カウリング型《がた》』人工尾《じんこうお》びれを、沖縄《おきなわ》まで持《も》ってき

てくれたときだった。

「いままでのものより、かなり硬《かた》くつくりました。これでこわれないと思《おも》うんですが。」

加藤《かとう》さんは、自信《じしん》があるようだ。

「よし、じゃあ、古網《こあみ》。はじめるぞ。」

声《こえ》をかけて、ぼくはいつものように空気《くうき》ボンベを背中《せなか》につけて、水《みず》のなかにもぐった。

水中《すいちゅう》カメラをとおして、プールのなかを見《み》わたす。

浅瀬《あさせ》プールから、人工尾《じんこうお》びれを装着《そうちゃく》してもらったフジが、出《で》てきたのが見《み》える。

「ツイストします！」

古網《こあみ》がそう言《い》ったのだろう。フジが人工尾《じんこうお》びれを、勢《いきお》いよく動《うご》かし、カラダがぐっと持《も》ち上《あ》がる。

ゴムの尾《お》びれは、びよんびよんと、まがるけれど、なかにはいっている芯《しん》は折《お》れてはいない。

よし、いいぞ。つぎは、回転《かいてん》だ。

水《みず》のなかで、フジのカラダが、立《た》ち泳《およ》ぎのまま、ぐるぐるとまわる。

やわらかいゴムが、うまく水《みず》をとらえて、回転《かいてん》はやりやすそうだった。

さいごは、ハイジャンプのはずだった。

プールサイドで立《た》ち泳《およ》ぎする、フジのおなかから下《した》が見《み》える。

合図《あいず》が出《で》たようだ。フジは、さっと水《みず》のなかにはいると、プールの底《そこ》、ぎりぎりを泳《およ》いで助走《じょそう》をつける。

そして、ジャンプ！

「あっ！」

ぼくは、さけんでいた。

フジが跳《と》び上《あ》がったときに、『カウリング』が、割《わ》れてばらばらになったのだ。いままでも、割《わ》れたことはあるけれど、ばらばらに分解《ぶんかい》したのははじめてだ。

やばい！　イルカが飲《の》みこんでしまう！

そのつぎの瞬間《しゅんかん》に、もっとショッキングなことがおきた。

ジャンプして落《お》ちてきたフジが、こわれた『カウリング』の破片《はへん》を蹴《け》ったのである。

「！」

ぼくは水中《すいちゅう》カメラを、その場《ば》にほうりだした。

さすがに水中《すいちゅう》カメラは大《おお》きくて、イルカが飲《の》みこむ心配《しんぱい》はない。

でも、小《ちい》さく割《わ》れたパーツは……。あわてて、水中《すいちゅう》でパーツを拾《ひろ》い集《あつ》める。

そして、プールサイドに泳《およ》ぎついたとき、古網《こあみ》の泣《な》きそうな顔《かお》を見《み》つけた。

「フジが……。」

古網《こあみ》はフジの尾《お》びれを、にぎりしめていた。

五センチくらいの傷《きず》から、血《ち》がにじみ出《で》ている。

「早《はや》く、消毒《しょうどく》を……。」

古網《こあみ》のアタマのなかには、尾《お》びれを切《き》り落《お》とした手術《しゅじゅつ》のことが、思《おも》い出《だ》されていたのかもしれない。

切《き》っても、切《き》っても、くさっていく尾《お》びれ……。

テストは、もちろん、中止《ちゅうし》になった。


「すみませんでした。フジがケガを……。」

フジが人工尾《じんこうお》びれを割《わ》る瞬間《しゅんかん》の映像《えいぞう》を見《み》ながら、ミーティングをしたときに、加藤《かとう》さんがアタマを下《さ》げる。

「いえ、たいしたケガじゃありませんから。それに割《わ》れてケガをしたのではなく、偶然《ぐうぜん》、蹴《け》ってしまったのが原因《げんいん》ですし。気《き》にしないでください。」

たしかに血《ち》は出《で》ていたけれど、傷《きず》は浅《あさ》かった。

これなら、すぐに治《なお》るだろう。

「それにしても、いったい、どのくらいの力《ちから》なんでしょうね。」

さすがの加藤《かとう》さんも、まいっているようだった。

「フジの体重《たいじゅう》がだいたい、二百二十キロあります。それを、水《みず》の上《うえ》まで持《も》っていくわけですから。」

「大《おお》きなおすもうさんが、ジャンプするようなものですね。そりゃ、力《ちから》が強《つよ》いわけだ。」

海《うみ》の生物《せいぶつ》については、ほんとうにまだ、わからないことだらけだ。

イルカの尾《お》びれの力《ちから》が、いったいどのくらい強《つよ》いのか。

そんなデータは、世界中探《せかいじゅうさが》してもない。

「それより加藤《かとう》さん、あの……。」

「はい？」

「すみません。ご迷惑《めいわく》をかけて。」

ぼくは、いまさらだけれど、加藤《かとう》さんたちを巻《ま》きこんで、申《もう》し訳《わけ》ないと思《おも》っていた。

休日《きゅうじつ》を、ぜんぶつぶして、フジのために、こんなにがんばってくれている。

まさか、こんなに長《なが》い期間《きかん》になるとは、予想《よそう》していなかったはずだ。

「フジを助《たす》けたい、という気持《きも》ちは、私《わたし》たちも同《おな》じですから。」

加藤《かとう》さんのやさしい言葉《ことば》に、ぼくは少《すこ》しだけ笑《わら》う。

「植田《うえだ》さん。」

「はい。」

「技術者《ぎじゅつしゃ》の意地《いじ》ですからね。必《かなら》ず、フジのハイジャンプに耐《た》える、人工尾《じんこうお》びれをつくりますよ。」


ミーティングが終《お》わったあと、机《つくえ》で仕事《しごと》をしていると、古網《こあみ》がやってきた。

「どうした？」

「人工尾《じんこうお》びれ、まだつづけるんですか？」

どうして、そんなことを聞《き》く？　書類《しょるい》から顔《かお》を上《あ》げて、古網《こあみ》を見《み》る。

「ぼくは……こわれるような人工尾《じんこうお》びれは、いりません。」

古網《こあみ》が突然《とつぜん》、言《い》いだした。

「もうフジは、泳《およ》げるじゃないですか。元気《げんき》になったじゃないですか。」

「おまえ、フジにジャンプさせたいんじゃ、なかったのか？」

古網《こあみ》は、目《め》をふせた。

「そんなことは、ぼくが勝手《かって》に思《おも》っていただけで。フジに人間《にんげん》の気持《きも》ちを押《お》しつけて、それで、こんな、ケガをさせて……！」

やさしい古網《こあみ》が、必死《ひっし》にフジを、守《まも》ろうとしていた。

まるで、いま自分《じぶん》が守《まも》らなければ、フジがいなくなってしまうかのようだった。

「傷《きず》からまた、壊死《えし》がはじまったら、どうするんですか。もう、いいじゃないですか。人工尾《じんこうお》びれのおかげで、フジは元気《げんき》になったんですから。」

フジは、ジャンプしたくないのだろうか。ほんとうに、古網《こあみ》の気持《きも》ちを、押《お》しつけているだけなのか。

フジは、コニーのあんなに高《たか》いターゲットに、向《む》かっていったじゃないか。

古網《こあみ》に言《い》った。

「傷《きず》は、ぼくが治《なお》す。」

「え？」

「でも、人工尾《じんこうお》びれをつけるかどうかは、フジが決《き》めることだ。フジがいやがるなら、つけなく

ていい。でも、つけたくないと、おまえが言《い》うことじゃない。」

ぼくは古網《こあみ》を見《み》つめた。

古網《こあみ》は、しばらく下《した》を向《む》いたまま、なにかを考《かんが》えているようだった。

そして顔《かお》を上《あ》げると、言《い》った。

「フジがいやがるなら、つけなくていいんですね？」

フジがいやなら。それなら、しかたがない。

「覚《おぼ》えていますか？　半年前《はんとしまえ》。フジの尾《お》びれにスリ傷《きず》をつくったときのこと。」

あのときフジは、いくら呼《よ》んでも、プールサイドにこなかった。

人工尾《じんこうお》びれを見《み》るだけで、いやがったのだ。

古網《こあみ》は、いまもぜったいにそうなると、言《い》いたそうだった。

「いっしょに、きてください。」

古網《こあみ》は、割《わ》れた人工尾《じんこうお》びれを持《も》って、プールサイドへと向《む》かう。

フジがこないことを、いやがることを、証明《しょうめい》してみせる。そんな気迫《きはく》が、背中《せなか》から伝《つた》わってくる。

「フジ！」

プールサイドで、古網《こあみ》が人工尾《じんこうお》びれを高《たか》く上《あ》げてフジを呼《よ》ぶ。

心《こころ》のなかで『くるな。』と、さけんでいるようだった。

でも、フジは、古網《こあみ》の声《こえ》に、すぐに反応《はんのう》した。

古網《こあみ》に向《む》かって、泳《およ》いでくる。

「こなくていいんだってば……!」

思《おも》わず、古網《こあみ》が人工尾《じんこうお》びれを、よく見《み》えるように、フジのほうに出《だ》す。

人工尾《じんこうお》びれを持《も》つ手《て》が、ふるえている。

でも、フジは止《と》まらなかった。

プールサイドまで泳《およ》いでくると、古網《こあみ》の足《あし》もとで横《よこ》たわる。

そして、傷《きず》ついた尾《お》びれを、そっと差《さ》し出《だ》した。

「フジ……。」

古網《こあみ》はどうすることもできず、その場《ば》で、立《た》ちつくしていた。

「どうしてだよ。くるなよ……。」

がんこだったフジが、古網《こあみ》の前《まえ》で浮《う》いていた。あんなにフジに、すなおになってほしいと望《のぞ》んでいたはずなのに、いまはそのすなおさに、泣《な》けてくる。

尾《お》びれには、うっすらとまだ、血《ち》がにじんでいるというのに。

「フジ……。」

フジが古網《こあみ》をやさしく見《み》つめていた。

『心配《しんぱい》しないで。』

ぼくにはフジが、そう言《い》っているような気《き》がした。

10　そらへ

フジにジャンプさせる。

迷《まよ》いがふっきれた古網《こあみ》は、いままで以上《いじょう》に、フジとのテストをくりかえしていた。

十二月《がつ》まで、という期限《きげん》に向《む》けて、みんなの気持《きも》ちが、ひとつになっていく。

「また、折《お》れました！」

新《あたら》しい人工尾《じんこうお》びれが届《とど》き、そして、こわれつづけた。

「また、ダメか。」

「ゴムのなかの、芯《しん》が折《お》れています。」

「でも、『カウリング』の部分《ぶぶん》はこわれていません。」

『カウリング』と呼《よ》ばれる、人工尾《じんこうお》びれをとめる部分《ぶぶん》。

これが割《わ》れたことが、フジのケガの原因《げんいん》だった。

つまり、これさえこわれなければ、ケガをする心配《しんぱい》はない。

「『カウリング』だけは、もうぜったいにこわれないよう、つくってあります。」

ブリヂストンの加藤《かとう》さんは、そう言《い》ってくれた。

加藤《かとう》さんの、ブリヂストンの、技術者《ぎじゅつしゃ》の意地《いじ》だった。

「また、芯《しん》が折《お》れました！」

プールサイドで古網《こあみ》の声《こえ》が、ひびきわたる。

「芯《しん》はむずかしいなあ。」

加藤《かとう》さんは、悩《なや》んでいた。

「がちがちに硬《かた》くしてしまえば、折《お》れないんです。でも、そうするとフジが泳《およ》ぎにくい。」

そうだった。まえに、造形作家《ぞうけいさっか》の薬師寺《やくしじ》さんが、つくってくれた人工尾《じんこうお》びれ。

『ポリカーボネイト』という、強化《きょうか》プラスチックでつくった人工尾《じんこうお》びれは、硬《かた》かった。

硬《かた》すぎて、くいっと向《む》きを変《か》えるとき、泳《およ》ぎにくそうなのだ。

「でも、尾《お》びれがしなるように、やわらかい芯《しん》だと、折《お》れやすいし……。」

人工尾《じんこうお》びれの製作《せいさく》は、ブリヂストンの人《ひと》が休日《きゅうじつ》を利用《りよう》しての、ボランティア・チームなのだけれど、ここへきて、総力戦《そうりょくせん》になっていた。

さいしょは、加藤《かとう》さんの部署《ぶしょ》の数人《すうにん》だけだったのに、いまでは、いろんな人《ひと》が参加《さんか》してくれている。

ブリヂストンエンジニアリング、ブリヂストンスポーツ、ブリヂストンサイクル……。自転車《じてんしゃ》や、ブルドーザーのキャタピラに巻《ま》くゴムなど、つくるものはいろいろ。

でも、いろんな技術《ぎじゅつ》やアイディアをもっている人《ひと》たちだ。

ブリヂストンサイクルは、つぎのオリンピックのために開発中《かいはつちゅう》の素材《そざい》まで、提供《ていきょう》してくれた。

「『イルカの尾《お》びれをつくっています。』というと、みんな、手《て》を貸《か》してくれるんです。」

加藤《かとう》さんは、照《て》れくさそうに言《い》う。

「もう、役員《やくいん》とか、現場《げんば》にいないような人《ひと》まで、ちょっとやらせてみろ、と。みんなイルカが好《す》きなんですね。それに、フジが大好《だいす》きなんですよ。」

加藤《かとう》さんは、フジを恋人《こいびと》のように見《み》る。

沖縄《おきなわ》と東京《とうきょう》。遠距離恋愛《えんきょりれんあい》だ。

でも、そういう加藤《かとう》さんだって、ブリヂストンのなかでは、部長《ぶちょう》さんだ。

多《おお》くの部下《ぶか》がいて、技術者《ぎじゅつしゃ》をまとめている。

仕事《しごと》のない週末《しゅうまつ》に沖縄《おきなわ》にきて、東京《とうきょう》にもどるのは、日曜日《にちようび》の深夜《しんや》。

翌日《よくじつ》は、朝《あさ》六時《じ》に起《お》きて会議《かいぎ》に向《む》かう。大変《たいへん》じゃないわけがない。

「人工尾《じんこうお》びれがこわれると、東京《とうきょう》にもどる飛行機《ひこうき》のなかが、つらくてねえ。」

加藤《かとう》さんは、恋人《こいびと》のようなフジを見《み》つめ、ため息《いき》をつく。

「植田《うえだ》さん。」

「はい。」

「つぎに、私《わたし》が沖縄《おきなわ》にこられるのは、来月《らいげつ》。十二月《がつ》です。」

十二月《がつ》。ぼくたちが決《き》めた、デッドライン。

「さいごのチャンスです。必《かなら》ず、フジとの約束《やくそく》を、守《まも》ります。」

そう言《い》って、加藤《かとう》さんは東京《とうきょう》へ、帰《かえ》っていった。


二〇〇四年《ねん》の十二月《がつ》がきた。

「いよいよ明日《あした》だな。どうだ、フジの調子《ちょうし》は？」

古網《こあみ》は、フジの餌《えさ》バケツを洗《あら》うのをやめて、ふりむく。

「ばっちりですよ。ここ数日《すうじつ》は、ほめまくっていますから。」

「ほめまくる？」

「もう、ほめてほめて。ほら、言《い》うじゃないですか。『ほめて、育《そだ》てろ。』って。」

それは、平子《ひらこ》さんの机《つくえ》の上《うえ》にあった『ただしい部下《ぶか》の育《そだ》てかた』の本《ほん》のタイトルだった。でもきっと、イルカもほめられると、うれしいんだろうな。

「フジは、いま、めちゃくちゃきげんがいいですよ。いまなら、なんだってやりますよ。」

古網《こあみ》は、うれしそうだった。

「フジを、よく訓練《くんれん》したな。」

「え？」

「あんながんこイルカだったのに。」

古網《こあみ》は、また、バケツを洗《あら》いはじめる。そして、手《て》を止《と》めて、言《い》う。

「フジが、ハイジャンプの練習《れんしゅう》をするとき、いつも、きれいに助走《じょそう》ができるんです。」

うん？

「ほかのイルカがいないんです。泳《およ》いでいない。さいしょ、わからなかったんですけれど。でも、ある日《ひ》、気《き》づいたんです。みんなが、ほかのイルカの相手《あいて》をしてくれていて……。」

そうなのだ。フジの助走《じょそう》スペースに、じゃまをしに、いかないように。

飼育係《しいくがかり》がそっとプールサイドにきて、魚《さかな》をあげながら、イルカをつなぎとめていた。

「そのイルカたちには、そのあいだ訓練《くんれん》ができないわけで。みんな、早《はや》く自分《じぶん》の担当《たんとう》イルカに、新《あたら》しいショー種目《しゅもく》を教《おし》えたいはずなのに。」

だけど、みんな、フジに跳《と》んでほしいんだ。

そして、おまえが、フジを跳《と》ばすところを見《み》たいんだよ。

「自分《じぶん》だけ、がんばっているんじゃなかった。みんなが、応援《おうえん》してくれたから、ここまでこられたんです。」

うん。

「フジが、いっぱい、教《おし》えてくれました。」

古網《こあみ》は、ぼくの目《め》を見《み》て言《い》う。

「自分《じぶん》の気持《きも》ちを押《お》しつけるだけでは、相手《あいて》に通《つう》じないいってこと。」

ぼくはうなずく。

「仲間《なかま》を信《しん》じること。相手《あいて》の気持《きも》ちを、思《おも》いやること。そして……ぜったいに、あきらめないこと。」

新人《しんじん》だった古網《こあみ》は、もうりっぱな飼育係《しいくがかり》になっていた。

「植田《うえだ》さん。明日《あした》は、フジに、思《おも》いきりいってもらいます！」

加藤《かとう》さん、斉藤《さいとう》さんをはじめとする、ブリヂストンの人《ひと》たちが、沖縄《おきなわ》にやってきた。造形作家《ぞうけいさっか》の薬師寺《やくしじ》さんも、鯨類研究者《げいるいけんきゅうしゃ》の大谷博士《おおたにはかせ》もきてくれていた。プロジェクトを見届《みとど》けようと、全員《ぜんいん》が集《あつ》まっていた。

加藤《かとう》さんがプールサイドで、ぼくに最新型《さいしんがた》の人工尾《じんこうお》びれをわたす。

「これが、さいごです。よろしくお願《ねが》いします。」

うなずきながら、受《う》け取《と》る。

トクの尾《お》びれのカタチをした、ゴム尾《お》びれ。

そしてブルーの『カーボンファイバー』の『カウリング』。

カタチは夏《なつ》から変《か》わらない。

でも、その中身《なかみ》は、加藤《かとう》さんの、ブリヂストンの、薬師寺《やくしじ》さんの、そしてこのプロジェクトにかかわった全員《ぜんいん》の、ありったけの思《おも》いがこめられている。

「いくぞ、古網《こあみ》!」

「はいっ!」

古網《こあみ》が、フジを呼《よ》ぶ。

浅瀬《あさせ》プールに、すなおにフジが上《あ》がってくる。

人工尾《じんこうお》びれをつけやすいように、横《よこ》たわるよう、サインを出《だ》す。

ふわっ……。

フジが横《よこ》になる。まるで、浮《う》きぶくろを、そっと置《お》いたみたいだ。

フジのカラダから、完全《かんぜん》に力《ちから》がぬけている。

逃《に》げ出《だ》そう、なんて、これっぽっちも思《おも》っていない。

完全《かんぜん》に古網《こあみ》を信頼《しんらい》しきっていた。

「人工尾《じんこうお》びれを。」

「はい。」

「ネジ。」

「そっち、持《も》って。」

フジに、人工尾《じんこうお》びれが装着《そうちゃく》されていく。

「はまっていない？」

ネジと、ネジ穴《あな》が、うまくはまらない。

一分《ぷん》……。時間《じかん》がたっていく。

フジはおとなしく、浮《う》いている。
二分《ふん》……。さすがのフジも、むずかりはじめた。
『まだ？』
フジは、そんなふうに、カラダを右左《みぎひだり》に、ねじってみせる。
「いちど、はなしましょう。」
古網《こあみ》が判断《はんだん》して、全員《ぜんいん》がフジから手《て》をはなす。
自由《じゆう》になったフジは、魚《さかな》をくれと、古網《こあみ》に向《む》かって口《くち》を開《あ》ける。
けれど、古網《こあみ》は、魚《さかな》をあげない。
「まだ、動《うご》いていいとは、言《い》っていない。わがままをするんじゃない。」
きびしい表情《ひょうじょう》でフジを見《み》つめる。
フジは、はっとした表情《ひょうじょう》をすると、もういちど、おとなしく、ふわりと浮《う》いた。
きっと、いままでの古網《こあみ》なら、魚《さかな》をあげて、フジのごきげんをとっていたはずだ。
もしくは、押《お》さえつけてでも、おとなしくさせるか。
でも、もうちがう。いまのフジならできる。
古網《こあみ》は、フジを信《しん》じていた。そしてフジも。

「こんどは、だいじょうぶだ。」

「はまっています。」

「もう少《すこ》し、ネジをしっかりしめて。」

ピーッ！

人工尾《じんこうお》びれが装着《そうちゃく》され、ホイッスルがふかれる。

「ようし、よくがんばった。」

古網《こあみ》は、こんどは手《て》のひらいっぱいの魚《さかな》を、フジの口《くち》のなかに入《い》れてやった。

フジが、浅瀬《あさせ》プールから出《で》ていく。

同時《どうじ》に、飼育係《しいくがかり》たちが、魚《さかな》のはいったバケツを持《も》って、プールに向《む》かう。

フジが、十分《じゅうぶん》に泳《およ》げるよう、ほかのイルカたちをプールサイドにひきつけておくために。

いつのまにか、プールのまわりには、飼育係《しいくがかり》やショーの解説《かいせつ》スタッフが集《あつ》まっていた。

古網《こあみ》が、メインプールのプールサイドに立《た》つ。

すぐにフジが、古網《こあみ》の足《あし》もとにきて、古網《こあみ》を見《み》つめながら、立《た》ち泳《およ》ぎをする。

「ツイストから、いきます！」

古網《こあみ》の声《こえ》がプールにひびく。

ツイスト。つづいて、回転《かいてん》。そして、鳴《な》き。

フジは、古網《こあみ》のサインに、すぐに反応《はんのう》する。

「いいぞ。その調子《ちょうし》だ。」

古網《こあみ》は、魚《さかな》をあげながら、フジをほめる。

そして、いよいよ。

「ハイジャンプ、いきます！」

古網《こあみ》が、宣言《せんげん》するように、プールにいる全員《ぜんいん》に向《む》かって言《い》う。

みんなの顔《かお》に、緊張《きんちょう》がはしる。

ついにきた。これがさいごの挑戦《ちょうせん》。

「フジ。」

古網《こあみ》はフジと、向《む》き合《あ》っていた。

フジは、古網《こあみ》のサインが出《で》るのを、じっと待《ま》っている。

「フジ。おまえがどれだけ、がんばってきたのか、みんなに見《み》てもらう、ラストチャンスだぞ。」

古網《こあみ》は、じっとフジを見《み》つめている。

フジも、古網《こあみ》から目《め》をはなさない。

「いくぞ。」

古網《こあみ》は、決心《けっしん》したように顔《かお》を上《あ》げる。

プールをぐるりと、見《み》わたす。

仲間《なかま》の飼育係《しいくがかり》たちが、ほかのイルカたちをプールサイドに、ひきつけてくれている。

みんな古網《こあみ》を見《み》つめている。

「がんばれ。」

「がんばれ！」

彼《かれ》らの目《め》が、そう言《い》っている。

軽《かる》くうなずき、古網《こあみ》はハイジャンプの、ターゲットを高《たか》くかかげた。

「よし、いけっ！」

フジが、はじかれたように、身《み》をひるがえす。

水《みず》のなかにもぐっていく。

プールの底《そこ》に、カラダをこすりつけるようにして、大《おお》きくまわり、助走《じょそう》をつける。

フジのカラダが、水面《すいめん》から、跳《と》びだしてくる。

そして、ターゲットに向《む》かって。空《そら》に向《む》かって。

大《おお》きく……ジャンプ！

「うわっ！」

フジのカラダから、水《みず》しぶきが、飛《と》び散《ち》る。

カラダをのばして、ターゲットにタッチ！

高《たか》いっ！

「やった！」

「すご……い！」

信《しん》じられない高《たか》さだ。

これが、あの、フジなのか？

フジは、とんでもないジャンプをして、そして水《みず》のなかに、帰《かえ》っていった。

ピーッ！

いつもより大《おお》きい、ホイッスルの音《おと》が、プールにひびく。

その音《おと》で、みんなが我《われ》に返《かえ》る。

フジ。

フジ。

跳《と》べたよ！

古網《こあみ》は、フジに、浅瀬《あさせ》プールにもどってくるよう、サインを出《だ》す。

だれも声《こえ》を出《だ》さない。

『人工尾《じんこうお》びれは？』

『割《わ》れていないのか？』

『フジの尾《お》びれにケガは？』

人工尾《じんこうお》びれが、はずされる。

「『カウリング』は？」

「『芯《しん》』は？」

加藤《かとう》さんたちが、人工尾《じんこうお》びれをチェックする。

「スリ傷《きず》は？」

古網《こあみ》が真剣《しんけん》な表情《ひょうじょう》で、フジの尾《お》びれを見《み》ている。

「人工尾《じんこうお》びれは折《お》れていない！」

加藤《かとう》さんの声《こえ》がひびく。

「フジは？　フジの傷《きず》は？」

「ありません！」

みんなの笑顔《えがお》が広《ひろ》がっていく。

「やった！」

「やりましたね！」

ぼくはプールサイドを見《み》る。

飼育係《しいくがかり》の仲間《なかま》たちが、こちらを見《み》つめている。

両手《りょうて》で、大《おお》きなOK《オーケー》のサインをつくった。

その瞬間《しゅんかん》、みんなの笑顔《えがお》が、プールサイドではじけた。

「ぎりぎりで約束《やくそく》が果《は》たせました。」

加藤《かとう》さんが、ほっとしたように言《い》う。

「ありがとうございます！」

ぼくは、加藤《かとう》さんたちと、かわるがわる固《かた》い握手《あくしゅ》を交《か》わしていた。

人工尾《じんこうお》びれを、はずしてもらったフジは、ゆっくりとメインプールにもどっていく。

古網《こあみ》は、ブリヂストンの人《ひと》たちの輪《わ》から、そっとはなれて、プールサイドからフジを見《み》つめて

いた。

フジがそっと、古網《こあみ》のそばにもどってくる。

プールサイドに座《すわ》る古網《こあみ》の足《あし》に、カラダをつけるようにして、甘《あま》えている。

「おまえも、がんばれるようになったなあ。」

古網《こあみ》が、やさしくフジの顔《かお》をなでている。

フジは、古網《こあみ》のそばをはなれようとしなかった。

でも、もしかしたら。

『あんたも、がんばったわね。』

きもっ玉母《たまかあ》さんは、古網《こあみ》に、そんなふうに、言《い》っていたのかもしれない。


翌日《よくじつ》。ぼくは水《みず》のなかにいた。

内田館長《うちだかんちょう》との約束《やくそく》を果《は》たすため、フジの背中《せなか》には、遊泳速度《ゆうえいそくど》を調《しら》べるための、大谷博士《おおたにはかせ》のデータロガーがついていた。

古網《こあみ》の特訓《とっくん》のおかげで、フジはもう、データロガーの吸盤《きゅうばん》をいやがることはない。

水中《すいちゅう》カメラを持《も》って、プールの底《そこ》でかまえる。

フジの泳《およ》ぐ姿《すがた》は、ほんとうに、ほかのイルカとまったく見分《みわ》けがつかない。

唯一《ゆいいつ》のちがいは、フジの尾《お》びれには、ブルーカウリングの『V《ブイ》サイン』がはいっていることだ。

フジに、水中《すいちゅう》カメラを合《あ》わせる。

あれ、だけど?

フジの動《うご》きがヘンだ。プールの底《そこ》に、カラダをこすりつけている。

まさか……!

ご〜り、ご〜り。

フジは、コンピュータの吸盤《きゅうばん》を、こすり落《お》とそうとしていた。

しかもそれは……おまえ、そこは、排水口《はいすいこう》じゃないかっ!

「データロガー、高《たか》いんだぞ!」

ぼくはあわてて、フジに近《ちか》づく。データロガーをくっつけていたプラスチックの細《ほそ》いベルトが、片方《かたほう》、引《ひ》きちぎられていた。

このまま落《お》ちたら……データロガーは海《うみ》に流《なが》されていたところだ。

まったく……どこまで、知能犯《ちのうはん》なんだ、このイルカ!

吸盤《きゅうばん》ごと、フジからデータロガーをはずす。すっきりしたのか、フジは、ぼくの持《も》つカメラをつついて、遊《あそ》びはじめる。

「おい、遊《あそ》ぶなってば。」

フジのカラダを押《お》して、そっと、むこうにいかせようとする。

でも、フジは、よけいに、カラダをくっつけてくる。

「なんだよ。」

思《おも》わず笑《わら》って、フジをなでていた。

イルカは人《ひと》の顔《かお》をおぼえる。

水《みず》のなかで、いやなヤツを見《み》つけると、体当《たいあ》たりをして、仕返《しかえ》しをすることだってある。

フジにとってぼくは、採血《さいけつ》とか、注射《ちゅうしゃ》とか、痛《いた》いことばかり。

あげくの果《は》てには、尾《お》びれを切《き》り落《お》とした、にっくき相手《あいて》だ。

この金髪《きんぱつ》のちょんまげ姿《すがた》を、フジが見《み》まちがえるはずがない。

でも……フジは、ぼくのそばをはなれない。

「なんだよ。」

少《すこ》し、照《て》れた。

まるでフジが『ありがとう。』と、言《い》いにきたような気《き》がしたからだ。

白《しろ》くなったフジの尾《お》びれ。

切《き》っても、切《き》っても、止《と》まらない壊《え》死《し》。

終《お》わりのない治療《ちりょう》。絶望《ぜつぼう》の時間《じかん》。

思《おも》い知《し》らされる無力《むりょく》さ。

最終手段《さいしゅうしゅだん》の手術《しゅじゅつ》。

切《き》り落《お》とした尾《お》びれ。

ぼくの左手《ひだりて》には、あのときのフジの尾《お》びれの感触《かんしょく》が、まだ残《のこ》っている。

浮《う》くだけのフジ。なにも映《うつ》っていない目《め》。

泳《およ》げないフジを見《み》て、ぼくは、そしてぼくたちは、どれだけつらかったか。

「おいおい……。」

フジはぼくのまわりを、ぐるぐるとまわる。

「よかったな。」

よかったな、フジ。

「みんなが、おまえを助《たす》けてくれたんだ。」

そして、みんなが、おまえに、大切《たいせつ》なことを教《おし》えてもらったんだ。

「ありがとう。」

そう、つぶやくと、フジはすーっと、ぼくのそばをはなれた。

プールの底《そこ》から見上《みあ》げると、フジがアタマの上《うえ》を泳《およ》いでいく。

きらきらと、太陽《たいよう》が、水《みず》のむこうに見《み》える。

フジはそれに向《む》かって泳《およ》ぐ。

それはまるで、フジが、空《そら》に向《む》かって、広《ひろ》がる未来《みらい》に向《む》かって泳《およ》いでいるみたいだった。

『あきらめなければ、願《ねが》いはきっとかなうのよ。』

水《みず》のなか。音《おと》のない世界《せかい》で、フジの声《こえ》が聞《き》こえた気《き》がする。

ほんとだな、フジ。

ほんとだな、フジ、ありがとう。

あとがき

沖縄《おきなわ》の水族館《すいぞくかん》に、尾《お》びれをなくしたイルカがいる。

ブリヂストンが人工尾《じんこうお》びれをつくっているらしい。

イルカ？　尾《お》びれがない？

尾《お》びれをなくしたイルカに、どうやってゴムの尾《お》びれをつけるんだろう？

話《はなし》を聞《き》いたとたん、好奇心《こうきしん》がくすぐられ、私《わたし》はすぐにフジに会《あ》いにいくことにしました。

二〇〇四年《ねん》六月《がつ》のことです。

なんたって尾《お》びれのないイルカです。飼育係《しいくがかり》の人《ひと》たちも悲《かな》しんでいるにちがいない。

ちょっと暗《くら》い気持《きも》ちで、沖縄美《おきなわちゅ》ら海水族館《うみすいぞくかん》に向《む》かったのですが。

ところが、イルカラグーンプールで私《わたし》が見《み》たのは、飼育係《しいくがかり》の古網《こあみ》くんのきらきらの笑顔《えがお》と、浅《あさ》瀬《せ》プールで、元気《げんき》に水《みず》を蹴《け》り飛《と》ばしまくっている、フジの姿《すがた》でした。

あとで確認《かくにん》すると、どうやらその日《ひ》は、フジがちゃんと浅瀬《あさせ》プールにはいれるようになった日《ひ》だったようです。

青《あお》い空《そら》。青《あお》い海《うみ》。ふりそそぐ太陽《たいよう》。

そんななかで古網《こあみ》くんは、フジの尾《お》びれを持《も》ちあげて、私《わたし》に見《み》せてくれました。

「ほら、小《ちい》さいでしょう？」

でも、その笑顔《えがお》は、

(元気《げんき》に泳《およ》げるようになったんです。がんばっているでしょう？)

そう、言《い》っていました。

小《ちい》さなうちわのような尾《お》びれで、水《みず》を蹴《け》るフジ。

そのまわりで、フジがもういちど泳《およ》げるよう、応援《おうえん》する人《ひと》たち。

その瞬間《しゅんかん》、私《わたし》はこのすてきな話《はなし》を、多《おお》くの人《ひと》に伝《つた》えたいと思《おも》ったのです。

取材中《しゅざいちゅう》は、獣医《じゅうい》の植田《うえだ》さんに、いろいろなことを教《おし》えてもらいました。

イルカのこと。治療《ちりょう》のこと。水族館《すいぞくかん》のこと。飼育係《しいくがかり》のこと。プロジェクトのこと。

植田《うえだ》さんの話《はなし》を聞《き》いているうちに、水族館《すいぞくかん》の人《ひと》たちが、本当《ほんとう》にイルカたちを大切《たいせつ》に思《おも》っていることがよくわかってきました。

水族館《すいぞくかん》のイルカは、ペットではありません。

ただ、かわいい！　と言《い》っていっしょにすごすのではない。

彼《かれ》らの大切《たいせつ》な、仕事《しごと》の、人生《じんせい》の、パートナーなのです。

そんな仲間《なかま》が、尾《お》びれを失《うしな》う。

もういちど、泳《およ》がせてあげたいと願《ねが》う。

それは、とても自然《しぜん》のことに思《おも》えました。

植田《うえだ》さんが言《い》いだしてはじまった人工尾《じんこうお》びれプロジェクトは、多《おお》くの人《ひと》が協力《きょうりょく》してくれました。でも、みんな、自分《じぶん》のためでも、お金《かね》のためでも、自慢《じまん》するためでもない。

ただ、「フジのために」。

ただそれだけのために、たくさんのオトナが時間《じかん》をつくり、知恵《ちえ》をしぼり、力《ちから》を合《あ》わせていったのです。

ふうん。オトナって、けっこう、やるじゃん。

オトナになってしまっても、目標《もくひょう》に向《む》かって、多《おお》くの仲間《なかま》とひとつの夢《ゆめ》を追《お》いかけることができる。しかも、自分《じぶん》たちの経験《けいけん》や、技術《ぎじゅつ》やアイデアを寄《よ》せあって、より大《おお》きな夢《ゆめ》をかなえることができる。オトナになるのも悪《わる》いもんじゃないと思《おも》います。

フジは人工尾《じんこうお》びれをつくってもらって、よろこんでいるかどうかは、わかりません。

魚《さかな》をくれるんだったら、つけてもいいか。そう思《おも》っているだけかもしれません。

イルカの気持《きも》ち、フジの気持《きも》ちは、やっぱりだれにも、わからないのです。

ケガをしたフジが、プールサイドで古網《こあみ》くんを見《み》つめたときや、さいごに水《みず》のなかで植田《うえだ》さんのそばに寄《よ》ってきたときも、「心配《しんぱい》しないで。」とか「ありがとう。」なんて、ぜーんぜん思《おも》っていなくて、ただ単《たん》に「さかな～、さかな～。」と、ねだっていただけなのかもしれません。

フジがどう感《かん》じているかは、わからないけれど、でも人工尾《じんこうお》びれのおかげで、フジは仲間《なかま》ともういちど、いっしょに泳《およ》げるようになりました。

きゅっとひきしまった体形《たいけい》にもどり、生活習慣病《せいかつしゅうかんびょう》の心配《しんぱい》もなくなりました。

植田《うえだ》さんは「なにより、フジが元気《げんき》になってくれたことがうれしい。」と言《い》います。

そう。フジは元気《げんき》になったのです。

人工尾《じんこうお》びれプロジェクトのメンバーは、もうそれだけで十分《じゅうぶん》なのです。

プロジェクトは、二〇〇四年《ねん》十二月《がつ》に、いちど、区切《くぎ》りをつけました。

けれど、その後《ご》も開発《かいはつ》は、まだつづいています。

もっと使《つか》いやすい人工尾《じんこうお》びれを。二十四時間《じかん》三百六十五日《にち》、安心《あんしん》して使《つか》いつづけられるものを。

そして、鯨類研究者《げいるいけんきゅうしゃ》の大谷博士《おおたにはかせ》が、尾《お》びれの動《うご》きを調《しら》べ、フジだけでなく、世界中《せかいじゅう》にいる尾《お》びれをなくしたイルカたちの役《やく》にたつ研究《けんきゅう》を行《おこな》っています。

人工尾《じんこうお》びれプロジェクトは、第二楽章《だいにがくしょう》が始《はじ》まっているのです。

植田《うえだ》さんは、新《あら》たなスタートのために金髪《きんぱつ》ちょんまげを切《き》り落《お》とし、いまはべつの髪型《かみがた》で、水族館《すいぞくかん》の新《あたら》しい仕事《しごと》に打《う》ちこんでいます。

海獣課《かいじゅうか》の人《ひと》たちにとっても、大切《たいせつ》なのはフジだけではありません。

飼育係《しいくがかり》には、水族館《すいぞくかん》にいるぜんぶのイルカが、それぞれに大切《たいせつ》なパートナー。

人工尾《じんこうお》びれプロジェクトが一段落《いちだんらく》して、休《やす》んでいるひまはないのです。

フジに負《ま》けないくらいの、素敵《すてき》なストーリーが次々《つぎつぎ》に生《う》まれている沖縄美《おきなわちゅ》ら海水族館《うみすいぞくかん》に、ぜひ、遊《あそ》びにきてください！


この本《ほん》を書《か》くにあたり、多《おお》くの人《ひと》たちに、本当《ほんとう》にお世話《せわ》になりました。

沖縄美《おきなわちゅ》ら海水族館《うみすいぞくかん》の、内田詮三館長《うちだせんぞうかんちょう》には、水族館《すいぞくかん》の責任《せきにん》と、人間関係《にんげんかんけい》の大切《たいせつ》さをあらためて教《おし》えていただきました。

そして、取材《しゅざい》をつづけた半年《はんとし》のあいだ、いつも温《あたた》かく見守《みまも》っていただき、本当《ほんとう》に感謝《かんしゃ》していいます。内田館長《うちだかんちょう》の名誉《めいよ》のためにつけくわえておくと、館長《かんちょう》はただきびしくて、こわいだけの人《ひと》ではありません。じつはとてもお茶目《ちゃめ》なところがあって、ひそかに私《わたし》は「ラブリー詮《せん》ちゃん。」と呼《よ》

んでいたのでした。（あーあ、ばらしちゃった！）

海獣課《かいじゅうか》の、宮原《みやはら》さん、外間《ほかま》さん、東《ひがし》さん、植田《うえだ》さん、真壁《まかべ》さん、平子《ひらこ》さん、小野《おの》さん、新井《あらい》さん、中曽根《なかそね》さん、草田《くさだ》さん、古網《こあみ》さん、上間《うえま》さん、玉城《たましろ》さん、徳千代《とくちよ》さん、赤羽《あかはね》さん、加須栄《かすえ》さん。河津《かわづ》さん、大城《おおしろ》さん、齊藤《さいとう》さん、渡辺《わたなべ》（梓《あずさ》）さん、神谷《かみや》さん、前田《まえだ》さん、岡部《おかべ》さん、築地《つきじ》さん、高瀬《たかせ》さん、渡辺《わたなべ》（紗綾《さや》）さん、鈴木《すずき》さん、高良《たから》さん。

ブリヂストンの、加藤《かとう》さん、斉藤《さいとう》さん、加唐《かから》さん、原《はら》さん、関《せき》さん、藤川《ふじかわ》さん、苫米地《とまべち》さん。

造形作家《ぞうけいさっか》の薬師寺《やくしじ》さん。鯨類研究者《げいるいけんきゅうしゃ》の大谷《おおたに》さん、伊藤《いとう》さん、鈴木《すずき》さん。

本当《ほんとう》にありがとうございました。


「あきらめなければ、願《ねが》いはきっとかなうのよ。」

ほんとだね、フジ、ありがとう。


フジと、フジを合《あ》い言葉《ことば》に出会《であ》ったすべての人《ひと》とイルカたちに、愛《あい》をこめて。

岩貞《いわさだ》るみこ

協力／財団法人　海洋博覧会記念公園管理財団
沖縄美ら海水族館館長　内田詮三
※文中の登場人物の役職、
肩書きはすべて当時のものです。

　みんなに愛《あい》されたバンドウイルカのフジは、人工尾《じんこうお》びれが完成《かんせい》してから十年《ねん》めの二〇一四年《ねん》十一月一日《がっついたち》、植田獣医《うえだじゅうい》や、外間《ほかま》さん、古網《こあみ》さんをはじめ、たくさんの飼育員《しいくいん》の見守《みまも》るなか、亡《な》くなりました。推定年齢《すいていねんれい》は四十五歳《さい》でした。沖縄美《おきなわちゅ》ら海水族館《うみすいぞくかん》に、フジはもういません。でも、フジがつけていた本物《ほんもの》の人《じん》工尾《こうお》びれを見《み》に、フジがすごしたすばらしい水族館《すいぞくかん》に、いつかぜひ、遊《あそ》びにいってください。フジのこどもたちも待《ま》っています。（岩貞《いわさだ》るみこ）

＊著者紹介
岩貞《いわさだ》るみこ
　モータージャーナリスト、ノンフィクション作家。横浜市出身。主な著書に『東京消防庁 芝消防署24時 すべては命を守るために』『救命救急フライトドクター』（以上、講談社）、『しっぽをなくしたイルカ―沖縄美ら海水族館フジの物語―』『ハチ公物語―待ちつづけた犬―』『青い鳥文庫ができるまで』『もしも病院に犬がいたら こども病院ではたらく犬、ベイリー』（以上、講談社青い鳥文庫）などがある。

＊写真家紹介
加藤文雄《かとうふみお》
　1964年愛媛県生まれ。海洋写真家。イルカをはじめとする生き物や海の風景など、海をテーマにした写真を撮りつづけている。写真集に「奇跡のイルカ　フジ」（講談社）。

講談社　青い鳥文庫　265-1

しっぽをなくしたイルカ
——沖縄《おきなわ》美《ちゅ》ら海《うみ》水族館《すいぞくかん》フジの物語《ものがたり》——
岩貞《いわさだ》るみこ

2007年7月15日　第1刷発行
2017年6月7日　第33刷発行

（定価はカバーに表示してあります。）

発行者　鈴木　哲
発行所　株式会社講談社
東京都文京区音羽2-12-21　郵便番号112-8001
電話　編集（03）5395-3536
販売（03）5395-3625
業務（03）5395-3615

N.D.C.913　190p　18cm
装　丁　久住和代
印　刷　図書印刷株式会社
製　本　図書印刷株式会社
本文データ制作　講談社デジタル製作

■この本についてのお問い合わせは、青い鳥文庫編集まで、ご連絡ください。

ISBN978-4-06-148776-5

「講談社《こうだんしゃ》 青《あお》い鳥文庫《とりぶんこ》」刊行《かんこう》のことば

太陽《たいよう》と水《みず》と土《つち》のめぐみをうけて、葉《は》をしげらせ、花《はな》をさかせ、実《み》をむすんでいる森《もり》。小《こ》鳥《とり》や、けものや、こん虫《ちゅう》たちが、春《はる》・夏《なつ》・秋《あき》・冬《ふゆ》の生活《せいかつ》のリズムに合《あ》わせてくらしている森《もり》。森《もり》には、かぎりない自然《しぜん》の力《ちから》と、いのちのかがやきがあります。

本《ほん》の世界《せかい》も森《もり》と同《おな》じです。そこには、人間《にんげん》の理想《りそう》や知恵《ちえ》、夢《ゆめ》や楽《たの》しさがいっぱいつまっています。

本《ほん》の森《もり》をおとずれると、チルチルとミチルが「青《あお》い鳥《とり》」を追《お》い求《もと》めた旅《たび》で、さまざまな体験《たいけん》を得《え》たように、みなさんも思《おも》いがけないすばらしい世界《せかい》にめぐりあえて、心《こころ》をゆたかにするにちがいありません。

「講談社《こうだんしゃ》 青《あお》い鳥文庫《とりぶんこ》」は、七十年《ねん》の歴史《れきし》を持《も》つ講談社《こうだんしゃ》が、一人《ひとり》でも多《おお》くの人《ひと》のために、すぐれた作品《さくひん》をよりすぐり、安《やす》い定価《ていか》でおおくりする本《ほん》の森《もり》です。その一さつ一さつが、みなさんにとって、青《あお》い鳥《とり》であることをいのって出版《しゅっぱん》していきます。この森《もり》が美《うつく》しいみどりの葉《は》をしげらせ、あざやかな花《はな》を開《ひら》き、明日《あす》をになうみなさんの心《こころ》のふるさととして、大《おお》きく育《そだ》つよう、応援《おうえん》を願《ねが》っています。

昭和《しょうわ》五十五年《ねん》十一月《がつ》

講談社